成田空港の隣に世界一の街を造る男

柳瀬公孝
Masataka Yanase

白秋社

プロローグ――日本の文化とビジネスの奔流が生まれるホットスポット

❄資産評価額二兆円の街を成田国際空港の隣に

世界から日本へ、日本から世界へ――。

これまでおよそ一一億人もの人々が降り立ち、また飛び立っている。それが、日本の玄関・成田国際空港である。その空港の隣に、手つかずの広大な土地があった。頭上には、世界と日本をつなぐ雄大な飛行機が飛び交う。東関東自動車道・成田インターチェンジ（ＩＣ）下車すぐの立地であり、成田国際空港までわずか三分、そして東京まで約五〇分。東京ドーム一〇個分にも相当する広大な敷地だ。

私が思い描く「街」が生まれるのは、この土地以外にあり得ない——この地を初めて訪れたとき、私はそう確信した。

この広大な土地で進行しているプロジェクト、その名は「共生《ともいき》日本ゲートウェイ成田」(以下、「ゲートウェイ成田」)。単なるテーマパークではない。ショッピングモール、劇場、スタジアム、ミュージアム、イベント施設、ホテル、国際展示場、ビジネスセンター、二四時間営業のレストランやバーなどを備える。資産評価二兆円を超える、まさに「街」なのである。

二〇二四年に誕生する、この世界でも類を見ないまったく新しい街「ゲートウェイ成田」を少し紹介させていただくと……。

①四七都道府県の特産品が集まるショッピングモール&伝統工芸店舗街

国内はもちろん海外からのゲストが、日本が誇る多様な食や文化を体験できる。現在も各都道府県のアンテナショップは東京都内各所にあるが、一堂に集まる施設としては日本で初めてだ。長年受け継がれてきた、たとえば岩手の南部鉄器や岡山の刀鍛冶《かたなかじ》などの工房を設けるなど、世界の人々に日本の素晴らしい伝統工芸を発信する。

「ゲートウェイ成田」の完成予想図

②国際常設展示場&海外展開支援センター

日本の技術を求める海外企業と日本の中小企業の、マッチングの場である。リアルに商談が行われるのはもちろん、インターネットでも商談や商品取引が行われる。また、素晴らしい技術や商品を持っていながら、市場を海外に広げる手段のなかった中小企業支援のファンドも創設する。

③アニメミュージアム&スタジアム

世界中の人が熱狂する日本のアニメを集めたミュージアムを備えると同時に、クリエイター育成事業を行う。スタジアムでは、日本のマンガやアニメ、そしてスポーツ、音楽、伝統芸能などのイベントを行う。

④医療センター

日本の高度な医療は、世界の富裕層にとっては非常に魅力的な存在だ。彼らが定期的にやってきて、人間ドックや検診、あるいは再生医療などを受けられる基地となる。

⑤ホテル＆温泉

原寸大の安土城《あづちじょう》と温泉を備え、リラックスできるエリアだ。富裕層向けの高級ホテルと、バックパッカーも泊まれる庶民的なホテルの二種類をそろえる。

⑥横丁

グルメ横丁、ビューティ横丁、ファッション横丁など、気軽にそぞろ歩きを楽しんでもらう。

⑦バスターミナル

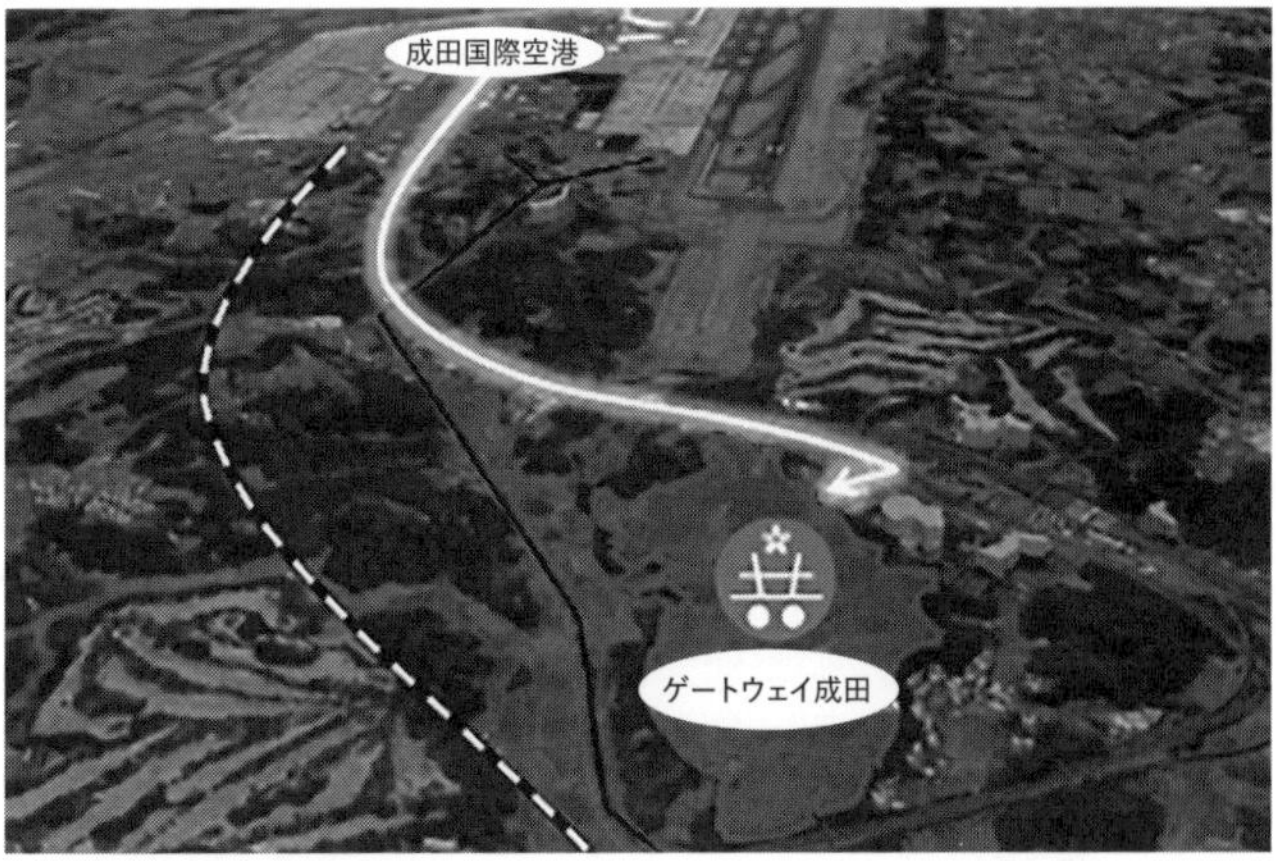

成田国際空港と「ゲートウェイ成田」の位置関係

「ゲートウェイ成田」は成田国際空港に隣接し、成田ICはすぐ目の前という絶好の立地にある。来訪者は、敷地内のバスターミナルから気楽に長距離バスで、東京、京都、伊勢、長野などの観光地へと向かうことができる。

成田は、成田山新勝寺《しんしょうじ》などでも知られる、伝統のある街だ。しかし成田国際空港周辺の開発は進んでおらず、空港に降り立つ外国人たちは、成田を素通りしてきた。古くからの「成田」と「成田国際空港」が、分離してしまっていたのだ。

なぜこれまで、こうした開発がなされなかったのか？　日本では、数年前まで「インバウンド」という言葉も知られていなかったことでも分かるように、海外からの観光客に重きを置いてこなかったからである。

そのため毎日、世界四一ヵ国三地域（二〇一九年）から数多くの外国人がやってくるにもかかわらず、空港周辺には、彼らを呼び寄せる魅力的な施設が一切なかったのだ。

しかし、「ゲートウェイ成田」という魅力的な街ができると事情が変わる。海外からの観光客たちが、まずはこの街で「日本」を楽しみ、そこから地元・成田や日本各地へと旅立つのである。

もちろん、観光をせず、ビジネスのためだけに「ゲートウェイ成田」にやってくる人もいるだろう。その日の朝に成田に着いて、商談を終え、夕方にはまた母国へ旅立つなどという日帰り出張も、この立地ならば十分可能なのだ。

❄人口爆縮時代の日本経済の起爆剤

ここで、なぜ私が「ゲートウェイ成田」を造ろうとしているのか、その真の目的を語っておきたい。

日本という国の財政を、多くの日本人はご存じだと思う。国債、つまり日本国の「借

頭上をジェット機が飛行する成田ＩＣ至近の建設現場

金」は、いまや約一一〇〇兆円にものぼる。二〇二〇年からは新型コロナウイルス禍のため、さらに「借金」は増え続ける。

もちろん、財務省が公表している「日本国のバランスシート」を見ると、換金可能な数百兆円が独立行政法人などへの出資金や貸付金として計上されている。国家の資産が、ＧＤＰでは日本の約四倍もの規模を誇るアメリカよりも多いことなども考慮すると、ネットの日本の「借金」は、ずっと小さいともいえる。

ただ私は、子どもや孫に任せるのではなく、この日本の「借金」を、私たちの世代できれいさっぱり返し終えたいのだ。そうして少子化が進む日本において、若者たちが後顧《こうこ》の憂《うれ》いなく日本文化を深めていく環境を整えたい。

そこで、「ゲートウェイ成田」プロジェクトなのである。

私がこの成田の土地を購入し、また設計費や造成工事費などに使った経費は、約一〇〇億円。しかし、世界的な評価会社によって、すでにこの土地の資産評価額は約二兆円と算定されようとしている。つまり、何もなかった土地に「街」を造ることで、二〇〇倍近くの資産価値を持つことになったのである。

「そんなことができるのか」と思われるかもしれないが、不動産の世界では珍しいことではない。たとえばアメリカのシリコンバレーは、何もない鄙《ひな》びた街だった。しかし、多くのIT企業が集積することで、不動産などの資産価値が急上昇した。そのシリコンバレーが好例である。

このように資産価値を上げる一方で、「ゲートウェイ成田」では、全国の特産品や伝統工芸品、そしてアニメやアートで、海外の観光客から外貨を得ることができる。

さらには、日本の企業が、海外に技術や商品を売り出していく――。

こうして「ゲートウェイ成田」は日本経済の起爆剤となる、私はそう確信している。

私は経営者なので、当然、企業としての利益も目指している。しかし、その先にあるのは、日本国の経済そのものが活性化することなのだ。

❄日本のソフトパワーと技術を発信する「ポータルサイト」

「ゲートウェイ成田」は、日本の質の高い商品、技術、サービスを世界に発信し、外貨を獲得するプロジェクトだ。成功のカギは、当然ながら、魅力的なコンテンツやソフトが揃っているかどうかになる。

では、日本が世界に誇れるものとは何か？　私は様々な専門家の方々と会議を重ね、またマーケティングを行った結果、マンガとアニメが大きな柱になると確信した。

世界各国に多くのファンが存在することは、二〇二一年四月の最終週、全米で公開中の映画のなかで興行収入一位に輝いたアニメーション映画『劇場版「鬼滅《きめつ》の刃《やいば》」無限列車編』を見ても明らかだ。二〇一九年度版の日本動画協会の「アニメ産業レポート」によると、日本のアニメ産業全体の海外売り上げは、なんと一兆円を超えている。

それだけではない。私がマンガやアニメに主眼を置いた理由は、「マンガやアニメを通じて日本文化を好きになる外国人がとても多い」という点にもある。

「アニメ聖地巡礼」という言葉をご存じだろうか？　作品に登場する、あるいはモデルになっている街、旅館、神社仏閣、それにグルメ店などを巡ることが、ファンのあいだでは大人気なのである。こうして外国の方々が作品を通じて日本の文化に触れていくうち、次第に「日本文化」そのもののファンになっていくのだ。

そのため、海外のマンガやアニメのファンを集めると同時に、クリエイターたちの育成もまた大事な事業となる。私は「ゲートウェイ成田」を、アメリカのシリコンバレーのような、マンガとアニメの世界的な産業拠点とするつもりだ。

もちろん、マンガとアニメばかりではない。成田国際空港に隣接するという絶好の立地を活かし、日本の企業、なかでも中小企業の世界展開を支援する。成田という街は、「世界の物流のポータル（玄関）」としてのダイナミックなエネルギーを宿している。そのエネルギーを呼び起こさねばならない。

日本経済の特色として、中小企業が全企業数の九九・七％を占めるという点がある（二〇一六年 経済センサス活動調査）。つまり、日本の企業のほとんどが中小企業なのだ。しかし規模こそ小さいものの、世界に通用する技術を持つ中小企業は実に多い。

私は信頼できる人たちから得られる情報をもとに、有望な技術があれば現地に飛び、確認している。常温核融合による安全な原子力発電技術、生ゴミなどを材料にしたバイオ発電、生鮮食品の保存期間を長期化する技術……私がこの目で見て、支援している全国の有望な技術は、枚挙《まいきょ》にいとまがない。

日本が持っている技術の確かさ、そしてまだまだ眠っている技術の存在は、もう間違いない。あとは、これらの技術がビジネスとしての価値を生み、事業化されていくことだ。

そのために、まさに「成田」がマッチングの場所となり、いわば「ポータルサイト」となる。情報発信にも物流にも、共に最適な立地なのだ。「ゲートウェイ成田」は、日本企業にとって、世界に向けた発信の場となっていく。

❊「伊勢忍者キングダム」と「みんなで大家さん」で得た確信

この「ゲートウェイ成田」プロジェクトは、二〇一四年から動き出した。造成工事が始まり、完成までには一〇年かかる。その間、事前に、商業施設の運営やサービスの実践を試す場、いわば成田への「試金石」が欲しかった。

そんなとき、たまたま三重県伊勢《いせ》市にあるテーマパークが売りに出されていることを知った。それは、織田信長《おだのぶなが》が築城し、「本能寺の変」のあと築城後わずか三年余りで焼失した幻の城「安土城」が原寸大で再現されていた場所。その城下町を含む一〇万坪の敷地で、様々なアトラクションを楽しめるテーマパークだった。

このテーマパークは西日本に位置するので、関東の成田とはバッティングしない。条件や設備なども、すべての面で「試金石」としては最適だ。二〇一六年、私は迷わず、そのテーマパークを購入した。

このテーマパークには三年間かけて大改装を施し、「ともいきの国 伊勢忍者キングダム」(以下、「伊勢忍者キングダム」)、日本一の忍者テーマパークとして、新たにオープンさせた。

ここではまず、「食」を変えた。かつては冷凍食品を出していたレストランでは、メニューに地元・伊勢の食材や地酒などを採り入れた。そして、四~五人しかいなかった料理人を二〇人に増やした。このとき私は料理人の全員を集め、以下のように話した。

「料理はアートです。ということは、みなさんはアーティストなのです」

見た目にも美しく、食べて美味《おい》しいことを、「美味」という。すなわち、舌や肌で感じる「芸術」なのである。

しかし、絵画や彫刻などの作品とは違い、食べ物は口に入るときの温度や湿度で味が変

「伊勢忍者キングダム」の安土城

わってしまう。最も良いタイミングでゲストに食べていただかなくてはならない。そんなにも難しい、繊細な「芸術」なのである。こうした話をしたうえで、私は次のように語りかけた。

「そんな繊細な芸術を、みなさんは毎日、創っているのです」

その日から、料理人たちの意識が変わったように思う。

また「伊勢忍者キングダム」の売り物は、実体験型の「リアルRPGゲーム」である。RPGとはロールプレイングゲームの略。コンピュータゲームではよくあるRPGだが、実体験型というのは珍しいだろう。

たとえば、ゲストは、「さらわれた妹を探しに旅に出る」という物語の主人公だ。登場人物に扮した役者たちが登場し、ストーリーに沿って、主人公であるゲストを助けたり、ヒントを与えたり、逆に敵になったり……ハラハラドキドキのエンターテインメントである。こちらも、七~八人しかいなかった役者を二五人ほどに増やし、大胆に梃入《てこい》れした。

こうした全面リニューアルのおかげで、日本マーケティングリサーチ機構が二〇一九年に行った「大型レジャー施設についてのインターネット調査」では、「コスプレテーマパーク」「忍者テーマパーク」「食事が美味しいテーマパーク」の三部門で一位に選ばれた。

「伊勢忍者キングダム」の成功は、「ゲートウェイ成田」プロジェクトへ向けて、私の大きな自信となった。

そして、これらプロジェクトの基本となっているのが、「みんなで大家さん」事業である。

たとえば「伊勢忍者キングダム」や「ゲートウェイ成田」では、物件ごとに一般の方々の出資を募る。賛同してくれた方は、一口一〇〇万円から出資して、年五~七%の配当を得る。

これほどの高配当が可能になるのは、それだけ対象物件の資産価値を上げているからである。私たちは、こうした、まったく新しい共生型の不動産賃貸業を展開してきたともいえる。

同業者などからは「あり得ない」と言われ続けたが、一四年間、元本割れなし。事業は成功している。それは、我々が周到にリサーチを重ね、計画し、資産価値を上げるために最大限に努力をしているからだと自負している。

しかし、この事業が軌道に乗るまでには、信じられないような困難が待ち構えていた。本論に入る前に、第一章で、その困難の数々を述べておきたい。読者の方々に日本経済の「膿《うみ》」を感じていただけると思うからだ。「『リアル半沢直樹《はんざわなおき》』と呼ばれて」という章タイトルも、決して大袈裟《おおげさ》なものではない。そして日本経済の再生には、この「膿」の除去も必要となる。

目次◉成田空港の隣に世界一の街を造る男

プロローグ――日本の文化とビジネスの奔流が生まれるホットスポット

第一章　「リアル半沢直樹」と呼ばれて

第二章　「ゲートウェイ成田」の起爆力

第三章　日本の文化力と技術力の底力

第四章　日本人みんなが大家さんになる日

第五章　世界一の街の先にある都市国家

第六章　なぜ共生主義なのか――私の来し方

エピローグ――日本人の個人資産を四〇倍にするのは夢ではない

フローティングハウスで「日本」を楽しみ資産を増やす

成田空港の隣に世界一の街を造る男

第一章 「リアル半沢直樹」と呼ばれて

❄検査官チームが乗り込んできた日

「動くな！」……その日のことは、忘れようにも忘れることができない。

二〇一二年五月三一日のことだった。当時の本社があった東京・半蔵門《はんぞうもん》のオフィスで朝礼が終わると、突然、二〇名くらいの男たちが乗り込んできた。

「立ち入り検査だ」――私は、一瞬、事態が理解できなかった。

しかし「検査だ、みな協力するように」と、私は男たちに聞こえるように、わざと大声で社員に向けて指示を出した。

いったい、私たちが何をしたというのか？　わけが分からず、頭のなかは混乱するばかりだった。あとで知らされることだが、東京と同時刻に、我が社の大阪オフィスにも立ち入り検査が入っていた。

その検査官チームは、国土交通省（国交省）、金融庁、東京都、大阪府、それぞれの担当者。大阪オフィスには五～六名が立ち入ったという。

それからの二ヵ月半は、私にとって、そして社員にとっても、ただひたすら忍耐の日々が続いた。

検査官チームは、提供した我が社の会議室にこもり、午前九時から午後六時まで、来る日も来る日も作業をしていた。書類、銀行通帳、パソコン、サーバーのデータに至るまで、過去五年間にわたる取引に関する、ありとあらゆるものを調べている。

「こら、動くな！」

「これは何だ⁉」

平和だったオフィスに、検査官たちの罵声《ばせい》と怒号が飛び交う。「検査」としながらも、彼らの態度は威圧的で、「捜査」そのものだった。このような状況では、仕事になるはずもない。

「法律違反をしていないのだから、何も出てくるはずがない」――その確信だけが私を支えていた。冤罪《えんざい》だ。

だが、根拠なしにこれほど大掛かりな検査が入ることもなく、なんらかの「芽」があるはずである。

「まさかあの一件が……」

私の脳裏には、過去のある案件が浮かんでいた。

❄大手都銀支店長の傲慢な台詞

話は立ち入り検査の八年前、二〇〇四年にさかのぼる。

私が経営する共生《きょうせい》バンクは、東京・巣鴨《すがも》にあった塗料メーカーA社の本社と工場跡地の開発に携わっていた。JR巣鴨駅から徒歩三分ほどの立地に、一〇〇〇坪もの広さがある。デベロッパーであれば、どこでも欲しがる物件だった。

紹介してもらったA社の社長に対し、我が社は跡地利用のコンサルティングを続け、最終的に契約することができた。A社と定期借家契約を結び、我が社が事業主になり、この土地にシニア向けマンションを建設することになったのである。

が、実はこの土地には、ある難点があった。長年、そこに塗料工場があったため、土壌汚染が深刻だったのだ。亜鉛、銅、クロロホルムなどの有害物質が、最大一三メートルの深さにまで土地に浸《し》み込んでいた。東京都からも改善するよう求められており、業者に頼んだ場合、その費用は一五億円を超えると見積もられていた。もちろん、その費用はA社側が払うことになるのだが、経営状態の悪かったA社にとっては重い負担となる。

契約後、我が社は、A社に「なんとかしましょう」と請け合った。社員たちが動き、様々な伝手《つて》を頼って処理方法を調べ、技術提供し、結果的に費用を五億円も圧縮できたのである。

こうして近隣の住民説明会も無事に済んで設計に入り、事業は順調に進んでいた。そんなある日、A社の社長から「相談がある」という連絡を受けた。私が出向くと、社長は「B銀行から、あの土地を売れといわれている」と話し始めた。

A社は大手都市銀行であるB銀行から八〇億円の融資を受けており、その土地は抵当に入っていた。もちろん私もその事実は把握しており、「抵当権が第一優先じゃダメですよ、順番を変えてください」とお願いしてあった。抵当順位を変更し、抵当権よりも定期借家権を優先させることが契約の条件であり、B銀行も協力するという前提だったのだ。

事業はここまで進んでいるのである。A社がこの土地を売りたいのなら、我が社が買えば済むことだ。当然ながら、私は社長にそう訴えた。何度も社に足を運び、話し合い、相場では二〇億円の土地に、三〇億円以上の価格提示をした。ところが社長は、決して「売る」とはいわないのである。

このとき私は、背後にあるB銀行の思惑を、ひしひしと感じた。

そんなある日、社長が「B銀行の支店長に会ってほしい」という。この件はA社とB銀行の問題であり、私が関与することではないのだが、このままでは埒《らち》が明かない。しかたなく私は、社長と共に、その支店の応接室で支店長と会った。

このとき支店長は、私たちに対し、かなり高飛車《たかびしゃ》な態度を取った。それどころか敬語も使わなかったと記憶している。

「この土地は、当銀行関連のC社が買うことが、重役会議で決定した事項だっ!」

支店長は、その一点張りである。

C社とは大手デベロッパーである。しかし私も、ここまで事業が進んでいるのだから、後には引けない。A社とは契約を済ませており、住民説明も設計も終わっていることなどを主張した。

しかし支店長は、「これは決定事項だ」「我々が取引させてもらう」と、さらに強い口調で重ねていう。あちらも必死だったのである。

……当時は、バブル崩壊の名残《なごり》で不動産価格が低迷し、銀行は土地の売却に積極的ではなかった。ところがA社の土地の汚染を取り除き、定期借家権を設定する前提で私たち共生バンクがいよいよ建物を建てるというときになって、惜しくなったのだろう。

都内で、その土地ほど好条件の物件はめったに出ない。B銀行は自らの儲けに走ったのである。

しかし、本来は我が社に恩義を感じるべきA社の社長は、B銀行に金を借りている立場もあり、何もいえない。

「どうするんですか？」と、帰り道で、私は社長に尋ねた。

「銀行のいうことを聞くしかありません」……弱々しい答えが返ってくるばかりだった。

しかし、数年かけてコンサルティングを行い、契約に漕《こ》ぎ着け、土地の浄化に手を貸し、近隣対策も施して、ここまで投資した我が社は、いったいどうなるのか？　そう社長に訴えたが、もはやA社には銀行に逆らう力が残っていなかった。

A社からは、その後、契約の解除通知が送られてきた――。

共生バンクが数年間にわたって費やした資金と時間は奪われた。大きな事業計画は潰《つい》え、将来的に得られたであろう利益も失った。

「B銀行をこのままにしてはおけない」――そう私は考えた。

B銀行は貸し手の強い立場を利用し、A社の所有する土地をB銀行系列の大手デベロッパーに売ることを、事実上、強要した。その結果、我が社が大きな損害を被《こうむ》ったのである。Ｂ銀行のやり方は、どう考えても理不尽《りふじん》である。

私は、ある衆議院議員に、この件を相談した。すると、金融庁のＢ銀行担当課長を紹介してくれた。そこで私は、「ぜひ指導していただきたい」と、その担当課長に訴えた。これが効いたようで、その後、Ｂ銀行に金融庁から指導が入ったという。

一方、私は法的手続きを取った。二〇〇六年一〇月、Ａ社に対して損害賠償を求める訴訟を起こしたのである。同時に、その土地を売られてしまいＡ社に支払い能力がなくなる前に、差し押さえをかけた。

Ｂ銀行にすれば、抵当権が付いている土地に対して差し押さえをかけられたわけで、行内は大騒ぎだったであろう。そのせいか、二〇〇七年半ばには、融資は受けていないものの共生バンクの取引先だったＢ銀行の別の支店が、一方的に取引停止を告げてきた。

このＡ社との訴訟は、二〇〇九年三月に判決がくだり、我が社の勝訴に終わった。Ａ社からは四億円ほど回収できるはずだったが、私はそこで手綱《たづな》を緩めた。回収可能額の一〇分の一、すなわち四〇〇〇万円近くを受け取り、それだけで事を収めたのだ。

Ａ社を叩きのめすことは本意ではない。後に詳しく記すが、私は弱肉強食の資本主義には限界が来ており、これからは「共生主義」、すなわち共に繁栄を目指す経済の時代が訪れると考えているからだ。
……これで一件落着、のはずだった。しかし、これこそがB銀行、そしてC社との長い長い闘いの始まりだったのである。

❄大手都銀とデベロッパーの逆襲

二〇〇八年秋、世界をリーマン・ショックが襲った。アメリカの投資銀行であるリーマン・ブラザーズ・ホールディングスが経営破綻《はたん》、連鎖的に世界的な金融危機が発生したのである。

我が社も、この一〇〇年に一度といわれる金融危機に、見事に巻き込まれた。前年から不動産特定共同事業法（不特法）に基づいた「みんなで大家さん」事業をスタートさせており、当時、三物件を所有していたが、かなり厳しい状況に陥った。

そして、我が社が融資を受けていた銀行やノンバンクとの話し合いの結果、金利だけを払い、継続してお金を借りる、リファイナンスに応じてくれることになった。ところが、二〇〇八年一二月末日が支払日になっていた大手ノンバンクのD社だけが、どうしても話し合いに応じないのである。

さらにD社はまったくの猶予《ゆうよ》を与えず、年が明けた二〇〇九年一月には弁護士を立て、我が社に対し法的手続きを取ってきた――「みんなで大家さん」事業の対象物件を差し押さえたのである。

ただ差し押さえをしても、ノンバンクD社にとってメリットはない。むしろ、我が社に金利だけ払い続けてもらい、しかるべきときに物件を売って融資を返済してもらったほうが、より利益が出るはずなのだ。いわゆるウィンウィンの関係になれる。

だがノンバンクD社は、明らかに、わざと事件化している……何かがおかしい、何かが起きている……私の勘《かん》は不幸にも当たってしまった。

二〇〇九年四月ごろ、共生バンクは東京都からヒアリングを受けた。ノンバンクD社から差し押さえを受けたことが、東京都の知るところとなったのだ。

不動産業は都道府県の認可事業であり、もし何か問題が起きた場合、我が社は東京都から処分を受けることになる。リーマン・ショックという未曽有《みぞう》の金融危機に加え、都から処分を受ければ、共生バンクの将来はないだろう。

当時、私は資本参加していた東京証券取引所二部上場企業の代表取締役に就いていたため、共生バンクの代表は別の者に任せていた。社の連帯保証人からも私は外《はず》れている。代表にすべてを被《かぶ》せるのは忍びない。二一〇億円の債務の連帯保証を、この代表個人に負わせていたのである。

――この危機には創業者である私が立ち向かうべきだ。私は共生バンク代表に戻り、連帯保証も私個人に戻し、闘う決意をした。

東京都とのやり取りでは、何も隠さずにありのままを話した。出資者に被害を与えたわけではないこと、ノンバンクD社から差し押さえを受けているが、物件を売れば返済可能であり、解決できるということ……。

こうして東京都の担当責任者から、「この事業を継続していくことが出資者保護につながると東京都は判断しています」という言葉を得たときには、涙が出そうだった。

しかし、そもそも重い処分の対象になるような事態ではなかったのである。それなのに、差し押さえを受けた四ヵ月後、すぐに東京都がヒアリングを求めてきた……。

あるとき東京都の元職員から聞いた話で謎は解けた。背景を知るその人物は、「貴社はデベロッパーのC社から何か恨みを買うことでもやったのですか?」と聞いてきた。そのとき、A社との一件が脳裏を過《よぎ》った。

私が「実は、身に覚えがあります」と答えると、その人物は「C社の社員が熱心に、共生バンクを調べ上げ、東京都に情報を提供しているのです」と教えてくれた。さらに不動産証券化協会も関与していることを知らされ、「不動産証券化協会に入ったほうが良いのではないですか」と、助言してくれたのだった。

不動産証券化協会とは、その名の通り不動産証券化商品に関わる企業の協会であり、デベロッパーC社はその設立に大きく関与している。我が社もかつて準会員になっていたことはあったが、当時は入会していなかった。しかしその後、入会しようとしたが、けんもほろろに拒否されてしまったのだ。

C社は、「みんなで大家さん」事業について、「七・五％もの利回りで配当を出せるはずがない。事業としておかしい。絶対に無理だ」と主張し、さらに「差し押さえを受けている会社が不特事業（不動産特定共同事業）を行っても良いのか。やめさせるべきだ」と、東京都に「ご注進」していたのである。

明らかにA社の件に対する逆恨《さか》みだ。また、デベロッパーC社は「みんなで大家さん」と同じ不特事業を行っており、あわよくば我が社を潰したかったのであろう。

お客様から「なぜ『みんなで大家さん』は七％の利回りなのに、こちらは一％台なのか」と聞かれれば、C社は困ってしまう。我が社は、C社にとっては煙たい存在であり、目の上のたんこぶなのだ。

デベロッパーC社が関わっているということは、背後にB銀行がいる。ノンバンクD社が継続融資に断じて応じず、すぐさま差し押さえを行った異常な行為も、ひょっとしてB銀行からの圧力があったからではないか……。

B銀行には、金融庁の指導を受けたのは我が社のせいだという恨みがある。それしか考えられなかった。

すべての出来事が、私のなかで一つの線でつながった。だが、幸いなことに「事業継続が出資者保護につながる」という言葉通り、東京都は、結果的に、業務停止や公表といった破壊的な処分は一切、行わなかった。そして翌二〇一〇年四月、「東京都指示処分」ということだけで済んだのである。東京都の担当者が理解してくれたおかげで、絶体絶命のピンチを抜け出せたのだ。

こうして同年七月には対象物件の売却も終え、出資金も無事に返還。損害を出さずに、すべてを終えることができたのだった。

しかし、この時期、五〇〇人ほどいた社員は一〇〇人程度になっていた。私は社員に

「辞めろ」などということは一切いわない。しかし、リーマン・ショックと処分騒動のために苦しかったこの時期、沈みかけた船から逃げ出すように、多くの社員が去っていった。

❊可能な限り安い価格で購入する「仕入れ力」の秘密

リーマン・ショックに加え、信じがたいほど強烈な大手都市銀行と大手デベロッパーの逆襲……絶体絶命の危機は乗り切ったものの、彼らの恨みを買っているという事実は消えない。このときのように、また罠《わな》を仕掛けられ、潰しに来られれば、我が社は再び危機に陥ってしまう。法律違反をしていなくとも、検査が入ったという事実だけでも風評被害が起き、営業には支障を来《きた》す。

私は東京都のメインバンクがB銀行であるという事実が気にかかり、このまま東京都の免許だけで事業を続けることに危うさを感じていた。そこで、大阪府にグループ会社を設立しようと決意する。

こうして二〇一〇年三月、新たに立ち上げた「都市綜研インベストファンド」（共生バンクグループ）に、大阪府から不動産特定共同事業の認可が下りた。ここから、我が社の急成長が始まった。

リーマン・ショック後の日本には、買い手が付かない不動産があふれていた。金融機関は融資を止めていたし、不動産には手を出さない。売りたい人はいても、買い手がいなかったのだ。

当然ながら、本来の相場より安く購入できる。私たちは、「みんなで大家さん」事業で資金を調達し、これはと思う不動産を買いまくった。買っては募集、買っては募集を繰り返し、出資者は順調に集まった。我々の「みんなで大家さん」事業は、破竹の勢いで事業を拡大していったのである。

そうして無我夢中で二年間続けると、なんと一〇〇億円もの資産を築いていた――。

なぜここまで急成長できたのか？　一言でいえば、それは戦略性や「仕入れ力」の違いに理由があったといえよう。

我が社は、投資すれば価値が上がると見込んだ物件に狙いを付ける。物件を買うときは、大手デベロッパーのほうが有利だと思われるかもしれないが、実は違う。というのも、大手のほうが「資金力がある」と見込まれ、価格をふっかけられがちであるからだ。

結果、我が社は相場のおよそ三分の一程度の価格で、どんどん物件を買うことができた。リーマン・ショック後の買い手市場、まだ「アベノミクス」前のデフレ状態で、不動産価格は上がっていなかった。

成功例を一つ挙げるとすれば、香川県のホテル「高松ワシントンホテルプラザ」だ。これを六億六〇〇〇万円で購入し、二〇億円で売却することができた。ネット利回りにすれば年率二〇％の高利回り。アメリカのファンドが所有していた物件だったのだが、アメリカ本社から「早急に処分しろ」という指令が来ていたらしい。交渉したところ、現金払いという条件で、破格の値段で購入することができた。

価値が上がると見込んだ物件を、可能な限り安い価格で購入する——これが「仕入れ力」である。

この「仕入れ力」を活かし、事業利益を得るための資金は「みんなで大家さん」事業で集める。そして、その募集は主にネットで行う。

また、仕入れの対象となる物件の基準は、ネット利回りが一四％以上になるもの。そこから出資者に配当として七％程度を支払う。出資者も銀行に預ける何倍もの配当が得られ、我が社も十分に利益が出る。まさにウィンウィンであり、これこそが私が考える「共生主義」だが、それは後述する。

大手企業は不可能を可能にしようとしない。いや、そうしなくとも会社は回っていくし、そのせいか、こうした事業ができないと端《はな》から思い込んでいる。そして、このように思い込んでいるからこそ、我が社が何か「怪しい手」を使っていると勘ぐり、さらに邪魔な存在だと思う——。

その結果、あの立ち入り検査が、我が社を襲ったのだ。

❄東京地検がフジテレビに行ったリーク

時が過ぎ二〇一二年五月三一日の検査の根拠となったのは、ある投書だった。その内容は、「配当七％というあり得ない事業をしている。違法行為をしているに違いない」というものであり、完全に私を犯罪者扱いしていたという。

その事実は、すべて終わったあとに、ある衆議院議員を通じて国交省の幹部職員が教えてくれた。もちろん渦中にあったときには、そんな投書があったとは知る由《よし》もない。

しかし、立ち入り検査がある前年、実は「何かがおかしい」という予感はあった。

我が社は二〇一〇年以来、東京と大阪の二拠点体制で急成長を遂げた。二つの自治体にまたがって事業をしてもかまわないのだが、「大臣免許を取ったほうが良いのではないか」という声が上がっていた。

大臣免許とは、すなわち国交省の認可事業にする、ということである。東京都の免許では、再び大手都銀のB銀行と大手デベロッパーのC社が攻撃してくる恐れもあり、またさらなる事業拡大も見据え、私は国土交通大臣免許の申請手続きを行う判断をした。

しかし結果的に、これが仇《あだ》となる――。

二〇一一年七月、無事に申請手続きを終えた。国交省の担当課長とも良好な関係を築いていた。ところが三ヵ月後、なぜか担当者が、突然、別の人物になった。同時に、国交省の態度は百八十度変わり、一向に手続きが進まなくなってしまったのだ。

私が様子をうかがうために新担当者を訪ねると、自分のデスクに座ったまま、私が何をいっても反応しない。

「何か問題があるのでしょうか？　これまで当社に対して事業参加者からの苦情もありませんし、問題なくやっているのですが」

私がこういった途端、彼は気色《けしき》ばんだ。

「それは、社長は、そうおっしゃるでしょうけど！」

きつい口調で半ば横を向きながらそういったきり、また口をつぐんでしまった。

春に免許申請をし、そろそろ認可が下りるかと思っていたところに、この豹変《ひょうへん》ぶりである。おかしい、明らかにおかしかった。「これは何かが起きたな」と、嫌な予感がした。しかし、その七ヵ月後、まさか突然の立ち入り検査があろうとまでは、予想だにしていなかった。

国交省は、おそらく担当者が代わったころから数ヵ月間にわたり、金融庁、東京都、大阪府と連携を取って、検査への準備をしていたのである。

検査が入った翌六月の初旬、私は事業について不正がないことをきちんと説明し、また検査の事情の本当のところを聞きたいと思い、大阪府の担当者と面会した。ところが訪ねてみると、金融庁と国交省の役人ががっちりと脇を固め、担当者に睨《にら》みを利《き》かせている。彼らには殺気さえ感じられ、大阪府の担当者と腹を割って話すことなど不可能だった。

続く七月には、親交のあるフィクサーH氏にも相談した。彼は、当時の金融担当大臣・松下忠洋《まつしたただひろ》氏に事の真相を確認してくれた。すると、松下氏から「テレビ沙汰《ざた》の大事件になる。そんな会社には関わらないほうが、あなたの身のためだ」と忠告されたという。

このとき力になってくれようとした、当時ある党の代表がいた。彼は大阪府知事とも懇意にしており、掛け合ってくれたが、知事の力も及ばなかった。すると、もし何かあったら、代表だけでなく、党員たちにも迷惑がかかってしまう。そのため私も、それ以上の無理はいえなかった。

それにしても「テレビ沙汰の大事件」とは、いったいどういうことなのか？　まったく身に覚えがないのに、このまま無実の罪を着せられるのか？　金融担当大臣がそこまでいうのだから、私は国家権力と闘わねばならないのかもしれない……。

私は寒気《さむけ》を覚えた。

さらに私を恐怖に陥れる事件が起きたのは、七月初めのことだった。自宅を出たところ、いきなりテレビカメラが回っている。張り込んでいたのだ。記者らしき男性が、「共生バンクの柳瀬《やなせ》会長ですか。御社は検査に入られているということですが」と聞いてきた。

「なぜ知ってるんですか？」——記者にそう聞くと、「しかるべきルートから聞きました」と答える。

私が黙っていると、記者は奇妙な質問を重ねてきた。

「お金がないのに、お金を集めていいんですか？」

私は何と答えて良いか分からず、これには答えなかった。下手に答えるのも怖いし、背景も分からない。そもそもお金があろうがなかろうが、お金を広く集めて運用するのが不動産証券化ビジネスなのである。

しかし、リークがあったのだろうということだけは分かる。私は抗議したが、カメラは回り続けていた。

しかたなく名刺交換をした。すると、彼はフジテレビの記者であり、「柳瀬会長の特別番組を作りたい」という。大事件になるという前提で、私の取材をしておきたいということだろう。ある人物が逮捕されると、事前に撮っておいたインタビューを流す……テレビではおなじみの手法だ。

「当局の気持ちを逆なでしたくないので、取材には応じません」

そう答え、私は非常に重要な質問をした。

「あなたがこのように取材して、映像を撮り、想定していた事件にならなかったことは、いままでにあるのですか？」

彼は私の顔をじっと見据え、明確に答えた——「ありません」。

私が本当に怖くなったのは、この瞬間である。あとでフジテレビの知り合いに確認すると、やはり彼は東京地検特捜部担当の記者だった……東京地検からのリークがあったのである。

金融庁、国交省、東京都、大阪府は、我が社から不正が出ることを前提に検査し、その情報はすでに東京地検に伝わっているということだ。何かしら見つけ出さなくては、彼らのメンツが潰れる。

逆にいえば、彼らは些細《ささい》な不備であっても問題化し、炙《あぶ》り出すだろう。いや、悪くすると、ありもしない疑惑を作り上げられるかもしれない。そう覚悟した。

❄金融検査官の最敬礼の意味

このテレビカメラ事件から三ヵ月ほど経った秋、東京都庁で金融庁と東京都のヒアリングが行われた。ヒアリングを終えて、都庁の廊下に出たときのことだった。突然、私と目が合った金融庁の上席検査官二人が、九〇度以上の角度で、深々と頭を下げてきたのである。

その間三～四秒だっただろうか。これまでの犯罪者扱いとは百八十度変わった態度であり、意表を突かれた。

混乱した私は、ただの慇懃無礼《いんぎんぶれい》か、はたまた「墓場まで送りますよ」という意味なのか、判断に困った。来る日も来る日も犯罪者のように扱われ、厳しく調べられていたときの心理状態では、疑心暗鬼にもなる。

結果的に、東京都は一ヵ月の業務停止処分を我が社に下し、大阪は二ヵ月の期間だった。しかし、「巨額の詐欺事件」を想定して人員と時間を割き、大調査をしていた役所にとっては、目論見《もくろみ》が大きく外れたに違いない。まさに「大山鳴動《たいざんめいどう》して鼠《ねずみ》一匹」だ。

そのためだろう、大阪府はメンツを守りたいばかりに、いきなり二ヵ月という重い処分を下してきたのである。一方の東京都は、前回と同様、理解を示してくれたのだが。

こうして処分が決まったあと、あのとき金融庁の上席検査官二人が頭を下げた意味がはっきりと分かった。いまにして思えば、絶妙なタイミングの、心のこもった、見事な最敬礼だったのである。

彼らは投書に踊らされ、我が社に立ち入り検査を行った。当時の私は、会社からは給料をもらっていなかった。夜の繁華街で豪遊などせず、ひたすら会社のために働いていた。

もちろん違法行為など何も出てこなかった。が、空手というわけにはいかず、ささやかな不備を取り上げて処分したのだ。

彼らとしても、私と我が社に対して、心から謝罪したかったのであろう。しかし役人という立場上、言葉に出して謝ることはできない。詫《わ》びの気持ちをせめて私に伝えようと、最敬礼という形にして表してくれたのだ。

立場を超えた、一人の人間としての思いに、私はいまも感謝している。

❄会社を「殺す」第三の攻撃

二〇一二年七月から一〇月に受けた、東京一ヵ月、大阪二ヵ月の業務停止処分は、当然ながら大打撃となった。それから半年ほどが経ち、必死で危機を乗り越えようとしていた我が社に、追い打ちをかける報《しら》せが届く。大阪府からの「営業許可取消処分予定通知」だ。

「まだ攻撃は終わっていない、何か来るだろう」という予感はあった。大阪府、国交省、金融庁、検察まで動き、大勢の人員と費用と時間をかけたのに、あの程度の処分だけで諦《あきら》めることはないだろう、と——。

問題になっていたのは、ある物件を購入した際の費用、二七億四〇〇〇万円の計上方法であった。

そもそも不動産特定共同事業法には、はっきりした会計基準の条文がない。法律にないとすれば、役人の運用次第となる。少し細かい話になるが、大事なポイントなので説明しておこう。

我が社は、物件を購入した費用、この場合は二七億四〇〇〇万円を、「取得原価」として計上していた。国税庁が、「経費」として認めていなかったからである。「経費」として認めてしまうと企業として利益が出ず、法人税が取れなくなってしまう。であるから、「取得原価」として、長期間に減価償却するという会計処理をしていた。我が社はあくまでも国税庁の判断に従っていたのであり、また繰り返すが、不動産特定共同事業法に会計基準は明文化されていないのである。

ところが大阪府は、この二七億四〇〇〇万円の処理を一貫して問題視し、「期間費用」つまり「経費」として処理しろと命じてきた。納得できるものではなかったが、「経費」として計上するしかない状況だった。

しかし、この二七億四〇〇〇万円を「経費」に計上すると、我が社は財務上、債務超過に陥った。そして、不動産特定共同事業法の資本基準を満たさないことになってしまったのである。

大阪府はその点を突いて、すかさず「営業許可取消処分」を告知してきたのだ。明文化されていない会計基準の運用で債務超過にさせておき、間髪《かんはつ》を容《い》れず、基準を満たさないからと「営業許可取消処分」を告知してくる。その陰険さと執念深さに、私は身震いする思いだった。

「営業許可取消処分」が告知されたのは二〇一三年三月のこと。このタイミングは絶妙だった。というのも、こうした行政処分に対しては、半年以内に不服申し立てをしなければならないが、我が社は前回の処分に対し、それを行っていなかった。つまり、二〇一二年八月に下した二ヵ月の業務停止処分から、ぴたりと半年間空けた処分だったのである。

しかし、本当に我が社が悪質なら問答無用に「取消」にしただろうが、確実な根拠がないだけに、そうはいかなかったのだろう。また四回も開かれた聴聞会で、私は徹底的に、論理的に闘った。その抵抗の成果もあり、二ヵ月間の猶予《ゆうよ》が与えられた。二ヵ月間の業務停止付きである。

前年からの度重なる業務停止は打撃となるが、二ヵ月のあいだに基準をクリアすれば良い。しかし、総額にして二七億四〇〇〇万円という負債を消さねばならないのだから、非常に困難なことは間違いない。大阪府や国側は、「クリアすることはまずあり得ない」と考えていたのだろう。

「営業許可取消処分」とは、会社を殺すことである。我々は、殺されかかっていた——。

❄出資者二〇〇〇人に届いた怪文書

この殺害予告にも等しい「営業許可取消処分予定通知」を受け、必死に闘っていた二〇一三年四月ごろ、怪事件が起きた。

当時、役員会では、あらゆるケースを想定した話し合いが行われていた。もちろん最大の懸案事項は、投資家を守るにはどうすれば良いかということである。もし処分を受けたら、資産を売って投資分をお返ししなければならないが、その時期に売ると三割ほどの損が出るのは明らかだった。やはり、なんとか事業を継続させるしかない。

万が一、大阪の都市綜研インベストファンドが「営業許可取消」になっても、東京の営業許可会社（共生バンクは東京都と大阪府に二つの営業許可会社を有している）を通じて、共生バンクは事業を続けられる。ただ、取消処分を受けた企業の役員は、五年間、同業に関われなくなるという規定があった。

私を含めた大阪の役員が、東京で業務を続けられるようにするには、あらかじめ大阪の役員から身を引いておくことも考えた。また、取消処分になる前に自ら営業許可を返上する、つまり「廃業申請」（業法上の法律用語。許可事業をやめるという意味であり、会社を廃業することではない）を行うという得策もあった。そうすれば、現役員も仕事を続けられる。

ところが、こうした役員会での大激論が、奇妙にも外部に漏れていたのである。そして、当時の出資者約二〇〇〇人に、怪文書が届いたのだ——。

「我々は都市綜研インベストファンド経営陣とつながっている。いま同社は営業許可取消処分を受ける寸前であり、非常に危機的である。破産しようとしている」というような内容だ。そのうえで、謎の人物が出資者に電話をかけてくる。

そして、「いま、お金を払えば、出資金を回収してやる」というのだ。これでは「振り込め詐欺《さぎ》」と同じである。当然、出資者は不安になり、我が社に解約を希望してきた。また、本当にこの電話を信じてしまい、詐欺の被害に遭《あ》ってしまわれた方もいた。

解約を希望してきたのは、全出資者の三割ほどだったと思う。その方たちには、なるべく解約を待っていただくと同時に、私は出資者全員に手紙を出すことにした。

そして、処分を通告されているのは事実であること、ただしそれは会計基準の解釈の違いのためであること、いまは不動産の売りどきではないこと……など包み隠さず真実を手紙に綴《つづ》り、「誠心誠意、みなさんを守ります」と誓った。こうした手紙を、週に一度、すべての方に出したのだ。

一通の経費は、切手代を含めて約一〇〇円。二〇〇〇人分だから、一回分が約二〇万円。ただでさえ会社が苦しいときに、正直にいえばこの経費は負担になったが、数ヵ月のあいだ毎週、危機を乗り切るまで出し続けた。そのおかげで、出資者の方々は私を信じてくださったのだと思う。結果的に、一割にも満たない解約で済んだのである。

❊「怪文書」と「振り込め詐欺」の犯人は誰か

では、この「怪文書」と「振り込め詐欺」はいったい誰が仕掛けたのか。

その後、我が社の社名が記された多数の電話機が千葉県の公園で発見されたと、警察から連絡が来た。しかし、我が社のものではない。ある種の「専門家集団」が、他の案件と区別しながら、その電話機から日本中に電話をかけていた、ということか。

我が社の内部情報を得て、しかも出資者の名簿も手に入れて怪文書を送り、人勢で詐欺電話をかける……これだけの経費と時間をかけられる集団なのだ。

ただし、本当に詐欺で儲けようとするにしては、費用対効果がまったく見合わないことも分かる。我が社をターゲットにし、出資者の不安をあおり、解約に持っていくことが狙いだったとしか思えない。途方もない力を背景にして——。

いったい裏に何があったのか？　何か大きな力が我が社を潰そうとしていた。しかし、このような怪事件があったことで逆に、私のなかで「絶対に乗り切ってやる」という強い力が湧いてきたように思う。

我が社を「悪徳企業」だと決めつけ、もはや息の根を止めたと思っている連中に負けるわけにはいかない。なにより、出資者の方々に誓った通り、事業を続けねばならない。

「営業許可取消」の猶予期間二ヵ月のあいだに、私たちは考えられるあらゆる方策を取った。資本金を下げ、またグループ会社間取引で利益を計上するなど、いま思い返しても、よくぞやったと思う。こうして二ヵ月後に基準をクリアし、「営業許可取消」の処分を逃れることができたのである。

国土交通省への投書は、明らかに我が社を陥れようとする「虚偽告訴罪」だ。この罪の時効は七年。もはやその人物たちが罪に問われることはないが、私は社会に訴え続けたいと思う。

あれから約一〇年。連中はその後もマスコミに、我が社が悪徳企業であるかのような情報をリークし、攻撃し続けている。風評被害はあるが、あの手紙を出し続けたときのように、私は伝えられるすべての手段で、出資者のみなさんに真実を伝え続けている。おかげで、共生バンクグループは幾度かの危機を乗り越え、業績を伸ばしている。

「なぜそこまで踏ん張れたのですか？」と聞かれることがある。たしかに私のように崖《がけ》っぷちに立たされれば、「逃げ出せばいいのに」と思う人もいるだろう。しかし、私のなかに逃げるという発想はまったくなかった。それは、私の根本に「共生主義」があるからだろう。

人と人が奪い合うのではなく、分かち合って生きる「共生社会」を、なんとしてでも実現したい——その第一歩が「ゲートウェイ成田」プロジェクトなのである。

第二章　「ゲートウェイ成田」の起爆力

❄国民すべてが豊かになる商品を

私が既成の大資本や国家権力に苦しめられたおよそ一〇年間を、第一章「『リアル半沢直樹』と呼ばれて」に記した。

処分が終わってから、私は金融庁の官僚や専門家に経緯をすべて見てもらったが、みな口を揃えて「行き過ぎの厳しい処分だ」「国は間違っている」といってくださった。

しかし、当時の空気では、我が社が完全に「悪徳業者」であり、グレーな存在になってしまっていた。検察は、その先に政治家や官僚の「汚職もある」と決めつけていたに違いない。「リクルート事件」のような大疑獄事件を想定していたのだろう。

それにしても我が社は、なぜそこまで狙われたのか？

たしかに、不可抗力とはいえ、我が社が大手都銀やデベロッパーと因縁《いんねん》を作ってしまったのは事実だ。しかし、国家権力までもが、その悪意に便乗し、我が社を執拗《しつよう》に攻めてきた。

いや、今後もまだ攻撃があるかもしれない。実際に、彼らとつながっていると思われるメディアが、定期的に悪意のある我が社の情報を掲載し続けている。経営危機であるかのようなその情報は、もちろん歪《ゆが》められたものだ。

推理ではあるが、我が社がここまで叩かれた理由を記しておきたい。

私は、不動産業を始めたころから、不動産を証券化する「みんなで大家さん」のような商品を考えていた。

現在のような超低金利社会の日本では、年金で生活する高齢者たちは不安を抱えている。そこで不動産に出資していただき、その資産価値を高め、高い配当を出せれば良いと考えていた。こうしてみんなが利益を共有するのが、私が考える「共生主義」だ。

一九九四年、不動産への共同出資について様々な規約を定める不動産特定共同事業法（不特法）が制定された。ただし、この時点での出資は、一口五〇〇万円からであった。それが、二〇〇一年に撤廃された。

庶民にとって、五〇〇万円からの投資はハードルが高い。しかし、たとえば一〇〇万円からなら、年金生活の高齢者や一般の方々も始めやすいだろう。

また、それまでは対面でしなければならなかった重要事項説明の規定も緩和された。つまりネット販売が可能になったのである。

ついに、このときが来た――私は満を持して「みんなで大家さん」事業をスタートさせた。

❈なぜ高利回りの運用ができるのか

不動産投資によって得られる利益には、二つの経路がある。

一つ目はキャピタルゲイン。不動産の購入価格と売却価格の差額によって得る収益のことだ。簡単にいえば、不動産を購入したときよりも価値が上がった時点で売却した、その儲けのこと。株式で考えると分かりやすいかもしれない。要は、株式を買ったときよりも売ったときのほうが高ければ儲かるのと同じことだ。

二つ目はインカムゲイン。こちらは、不動産を保有しながら得られる収益のことだ。不動産投資であれば毎月の「家賃」がそれに当たる。株式でいえば「配当」だ。しかし当然ながら、キャピタルゲインのほうがより高額になる。

我が社が展開している「みんなで大家さん」事業は、日本人のみんなが大家さんになって家賃を分配し合う、分かりやすいスキームで、これはインカムゲインに当たるが、最も重要視しているのは、一つ目のキャピタルゲインを想定した事業だ。取得した不動産を開発する、あるいはリノベーションして、より大きな収益を目指すのだ。

このとき、買い手にとって魅力的な物件に生まれ変わらせることができるか、すなわち、いかに資産価値を高められるかが重要になる。また、いかに割安な価格で不動産を購入するかという「仕入れ力」も問われる。私たちのその力が収益につながるのだ。同時に最も大事な投資家の保護にもつながる。

会社設立以来、私たちは日々必死になって力を蓄え、資産価値を高めることに成功してきた。たとえば初めて手掛けた店舗ビルでは、改装後、マクドナルドがテナントとして入居し、その家賃収入によって高配当が実現した。第一章でも紹介したホテル「高松ワシントンホテルプラザ」は、六億六〇〇〇万円で購入し、三倍の二〇億円で売却、運用期間中はネット利回り年率二〇%を実現した。

そもそも不特法は、不動産業者が、資金を調達しやすくするために、政府に働きかけて作られた法律である。あくまでも自分たちの「資金調達」が目的であり、出資者の利回りは一%程度の想定だった。その程度の利回りでも、銀行の金利が安いから、出資者は集まる。そこに企業努力をして利回りを上げようなどという考えは、毛頭なかったのだ。

国もまた、不特法を制定した時点で、我が社のような「キャピタルゲイン重視の運用」を行う業者が出現するとは想定していなかったのだろう。

私たちの商品募集は利回り五～七％であるから、一％程度の商品を出している他の業者にしたらたまらない。大手デベロッパーが、「なぜ、あちらは利回り七％なのに、そちらは一％なのか」と顧客から聞かれたら返答に窮するだろうし、我が社を目の上のたんこぶのように思うのも分かる。

こうした背景があり、あの執念深い「共生バンク潰し」が起こったと、私は考えている。ただ私たちは、法律にのっとって購入した不動産に様々な付加価値を付け、資産価値を上げたうえで売却し、その利益を出資者の方々と共有しているだけなのだ。

その集大成ともいえるのが、我が社がいま建設を進めている「共生《ともいき》日本ゲートウェイ成田」、通称「ゲートウェイ成田」だ。

❄日本経済をドラスティックに変える大プロジェクト

日本の少子化と高齢化、それに伴う人口減少問題が浮上してから久しい。「減少」どころか、いまや日本は「人口爆縮社会」だ。人口動態の統計を見ると、いまから四〇年後の二〇六〇年には、約四〇〇〇万人の急激な人口減少が見込まれている。つまり、日本人の三人に一人がいなくなる計算だ。

しかも高齢化率は、二〇六〇年には、現在の一・四倍近い約四〇％に達する試算となる。一〇人のうち四人は、六五歳以上の高齢者になるのだ。

そして一五～六四歳までの「生産年齢人口」は、現在より約三二〇〇万人も減少。総人口に占める生産年齢人口の割合は、二〇〇〇年の約六八％から、二〇六〇年には約五〇％へと激減する。このままでは、明らかに経済活動全体が縮小し、日本の活力は危機的な状態に陥るだろう。

このように様々な問題を抱える日本を、私は憂えている。しかし同時に、大きな希望を持っている。その希望こそが、「ゲートウェイ成田」なのだ。

人口爆縮時代では、もはや日本国内の需要、すなわち「内需」に頼っていては、ジリ貧になるばかりである。「ゲートウェイ成田」は、国内産業を活かした外需獲得と、同時に日本企業の海外進出支援を狙う、一大プロジェクトなのだ。

日本国の経済をドラスティックに変え得る、大きな可能性があると信じている。

❄成田国際空港に隣接する東京ドーム一〇個分の土地

成田国際空港――日本最大の国際空港であり、公式ホームページの二〇一九年のデータによれば、乗り入れ航空会社は一〇六社、世界四一ヵ国三地域を結んでいる。乗り入れ就航都市数は、海外一一八都市、国内は二二都市にも及ぶ。

一九七八年の開港以来、約一一億人もの人々が旅立ち、また降り立った。

二〇二〇年一月には、国土交通省が、成田国際空港株式会社が申請していた航空法に基づく空港等の変更を許可し、二〇二九年三月までに既存の滑走路の延伸と、新たに第三の滑走路が建設されることになっている。この建設で、これまで三〇万回だった年間発着回数が五〇万回へ、現在の年間乗降客四二四六万人（二〇一九年）は、約七〇〇〇万人に拡大すると見込まれている。

二〇二〇～二一年にかけては新型コロナウイルス感染症の影響があり、乗降客は激減したものの、歴史を振り返ると、感染症は必ず収束する。「アフター・コロナ」において、成田国際空港の役割は、よりいっそう大きなものになるのは間違いない。

「ゲートウェイ成田」の建設現場で工事関係者たちと

――その成田国際空港に隣接する土地に巡り会ったのは、二〇一四年のことだった。

もともと我が社は、成田市に「成田菊水《きくすい》ホテル」という二五〇室ほどのホテルを所有していた。リーマン・ショック後、不動産価格が下がっていたころに購入しておいたのである。しかし二〇一二～一三年に度重なる行政処分によって経営的に追い詰められた際、会社が生き抜くためには、このホテルを売却するしかなかった。

当時は安倍《あべ》晋三《しんぞう》首相の経済政策、すなわち「アベノミクス」がスタートして間もなくであり、不動産価格は下落局面から上昇局面に変わり始めたばかりだった。いまは「売りどき」ではない……そしておそらく一年先に「売りどき」が来るのは明白だったが、経営危機を乗り切るには、致し方なかった。

一年後であれば二四億円で売れたと思うが、売却価格は一六億円。利益が出なかったわけではない。購入時の倍以上の値段は付いたが、いわれなき処分のせいで、大幅な減益になってしまったかと思うと、猛烈に悔しかった。

こうして私は、不本意ながら、この二五〇室を手放した。ただし、「いつか成田に一〇〇〇室もの大規模ホテルを造ってやる」と誓って――。

その後、この野望を叶《かな》えるため、成田の土地をいろいろと当たっていたとき、この物件に出会ったのだ。

敷地面積は約四五・五万平方メートル、約一三万七〇〇〇坪（国からの借地約四割を含む）である。といっても、ピンと来ないと思うが、東京ドーム約一〇個分と考えていただきたい。

高速道路の成田インターチェンジに直結するような場所に位置し、成田国際空港までは車で約三分、東京都心までは同じく約五〇分で行くことができる。これ以上ないというくらい絶好のロケーションだ。

❄ヤクザや在日外国籍者の住む土地を整理した経験

なぜ、これほど条件の良い土地が、手つかずのまま残っていたのか？　敷地の半分は不動産会社が持っていたが、残り半分は数多くの地権者が所有しており、手続きを考えると、二の足を踏む業者が多かったからだ。過去にゴルフ場にしようとした業者もいたが、諦《あきら》めてしまったという。

地権者との合意形成がないと、当然、開発も不可能となる。しかし、この土地に出会ったとき、「我が社ならできる」と、私は確信した。実は我が社には、過去、非常に困難な地権者との合意形成を成し遂げた実績があったからだ。

首都圏、川崎市の河川敷の某所に、バラックのような家々が立ち並ぶ一角があった。本来は国有地と市有地なのだが、戦後のどさくさに紛れて人々が勝手に住み着き、そのままになっていたのだ。

都心へのアクセスも良く、三〇〇〇坪もの敷地があり、開発すれば好条件のマンションが建てられるのは間違いなかった。しかし大手デベロッパーは手を付けなかった。実は、そこに住む人々は一筋縄ではいかない人たちばかりだったのである。一二〇人くらいの地権者は、ヤクザ、そして在日外国籍者など……。

地権者との合意形成は、全員の合意が得られなければ意味がない。一人でも立ち退《の》かなければ、何も建設できないのだ。その「虫食い」状態が何年も続いてしまったら、会社は赤字になってしまう。

しかし、この物件を紹介されたとき、私は迷いなく引き受けた。「彼らだって同じ人間だ、一人ひとりときちんと話せばなんとかなる」と思ったからである。

決めたからには後には引けない。その地に、私も社員たちも幾度も幾度も通い、そして説得し、無事、全員に立ち退いていただいた。

この土地は上場している中堅デベロッパーに売却し、いまは三棟もの大規模マンションが建っている。

こうした交渉の「コツ」を聞かれると困るのだが、強《し》いていえば「運気」だろうか。諦めず、何度も何度も繰り返し訪ねてお願いしていれば、ふと「運気」が体に降りてくるときがある。つまりは、「諦めない」ということなのだろう。社員たちも本当に粘り強く、とことん説得に努めてくれた。

この経験があったので、同じように困難に思える成田の地権者との合意も必ず得られると、確信していたのだ。

❄ピンチをチャンスに変える二五〇〇億円のプロジェクト

この広大な土地を見たとき、私は思った。

「一〇〇〇室のホテルなんていってないで、もっとでかいことを考えよう。私がこれまで経験してきたことをすべて集約し、国に貢献し、日本経済を活性化させるのだ」と。

頭のなかには「もっとでかいこと」、つまり、ずっと胸のなかで温めていた構想が、はっきりと浮かんでいた。「ゲートウェイ成田」プロジェクトの原型である。

ただ、実はこのとき、我が社はまた新たな困難に立ち向かっていた。第一章に記した二〇一三年三月の「営業許可取消処分予定通知」と二ヵ月の業務停止である。会計上、三〇億円規模の債務超過と公表され、風評被害とその対応に必死だった。

「ゲートウェイ成田」は総工費二五〇〇億円を超えるプロジェクトになるだろうと試算していた。

「こんな状況で、そんな大プロジェクトを仕掛けるのですか?」――役員を務める私の息子や、これを知った社員たちは、見事なほどに全員が猛反対する。

しかし、私は「このピンチだからこそやるのだ」と答えた。「成田のプロジェクトは、むしろ信用回復のチャンスだ」と考えたのだ。

我が社は度重なる業務停止処分と三〇億円規模の債務超過、結果的に免れたものの「営業許可取消処分予定通知」を受け、その情報が悪意をもって広められ、大きな風評被害を受けた。この信用を取り戻すにはどうしたらいいのか? 私は日夜、考え続けていたのだ。

勝手に情報を流されてしまうネット社会では、対策をしてもイタチごっこだ。失った信用を取り戻すに足ることをしなければならない――それこそが「ゲートウェイ成田」プロジェクトなのである。処分された矢先にこの土地と出会えたことも、運命なのではないかとすら思った。

❊錦江湾に中国人が住む街を造るプロジェクトとは

私がこれまで積み重ねた経験をもとに描いた構想が、すなわち「ゲートウェイ成田」なのだが、その経験の一つが、関越自動車道・上里《かみさと》サービスエリアのプロジェクトである。

十数年前、町のコンペで選ばれ、上里サービスエリアの開発を行うことになった。上り下り共有の五万坪もの広大な敷地に、高速道路を出ることなく、商業施設やレストラン、そして公園などの施設を利用できる、ハイウェイオアシスプロジェクトだ。

当時は少なかったスマートＩＣも建設し、ショッピングモールやシンボルとしての安土城の実物大レプリカ、温浴施設、そしてホテルなどを建設する計画だった。

そのとき考えていたのが、「日本一の産直市場」だ。関越自動車道は上信越自動車道にも北関東自動車道にもつながっている。埼玉県にある上里サービスエリアは、新潟などからは日本海の海の幸が、長野や群馬などからは山の幸が集まりやすい好立地なのだ。首都圏からのアクセスも良く、全国の美味しい農産物や海産物が集まる人気スポットになる。

こうして二年間ほど計画を進めていたのだが、実は敷地の一部が「農業振興地域」、いわゆる「農振地域」になっていた。この農振地域を農業以外に転用するには、県の許可が必要である。

当然、私たちもその事実は知っており、上里町は「必ず転用の許可を得る」と確約してくれていた。しかし結局、その許可が得られずじまいに終わってしまった。地元の難しい事情があったのだろうが、我が社は莫大な損害を被ってしまった。

もう一つの経験は、二〇一〇年ごろのことである。

鹿児島県の錦江湾《きんこう》の埋立地を開発し、中国人観光客を呼び込もうというプロジェクトを手掛けることになった。当時、中国の経済成長はめざましかったが、まだ「インバウンド」という用語も使われていなかった時代のことである。

総予算は約一五〇〇億円。私は、中華圏を中心に、世界の資産家に向けて出資を募ろうと考えた。海外では、その国の国籍や永住権などを与えることを条件に、プロジェクトに投資してもらう資金調達の手法がある。日本でも、この手法が使えないかと考えたのだ。

というのも、中国人の富裕層にとって、日本の永住ビザは喉から手が出るほど欲しいはずだ。中国人を中心に世界の富裕層から資金を調達し、その土地に商業施設や医療施設、そしてホテルや住宅を建設する。出資者はビザを得ているのだから、そこにロングステイしても、あるいは永住しても良いのだ。

そこでリサーチの意味もあり、中国人を招待してみたところ、鹿児島県の自然や文化を絶賛する。また、鹿児島市内にある「維新ふるさと館」を案内したところ、歴史にも興味を持っていることが分かった。明治維新で大きな役割を担った薩摩藩《さつまはん》の歴史は、中国人にとっても大きな魅力なのである。

彼ら中国人が農産物や海産物を購入し、観光にもお金を遣ってくれれば、鹿児島県にとっては経済が活性化するメリットがある。しかも、錦江湾にはクルーズ船が停泊できる港もあり、絶好の条件だ。

私は、各省庁の事務次官クラスの官僚に対し、この手法についてのヒアリングを行った。

「それは難しい。移民政策になるから、国を二分する議論になる」と反対したのは、法務省の官僚だ。

一方、「それは素晴らしいアイデアで、官僚からは絶対に出てこないものだ」と絶賛してくれたのは、外務省の幹部だった。

当時はリーマン・ショックのあとで資金調達は難しかったが、中国のある国営旅行会社がパートナーとなってくれていた。ところが、私たちにはどうにも抵抗しようがない問題が起こった。「尖閣《せんかく》諸島中国漁船衝突事件」である——。

二〇〇八年一二月、中国の海洋調査船が初めて、尖閣諸島付近の日本領海内を侵犯。その後、尖閣諸島問題を巡り、日中関係は急速に悪化した。そんななか、二〇一〇年には、日本の巡視船と中国漁船の衝突事件が発生した。

こうした政治的背景があり、中国政府は、パートナーである旅行会社にプロジェクトをやめるよう通達してきたのだ。パートナーは国営企業だから、国からストップされてはどうしようもない。尖閣諸島を巡る問題さえなければ、この画期的なプロジェクトは十分に実現可能だったと、私はいまでも信じている。

これらの経験を経て、私は、「日本一の市場」と「インバウンド」という二つのアイデアを温め続けてきたのだ。

このとき鹿児島県では失敗したのだが、実は関東地方の某所で、同様のプロジェクトが進行中だ。二〇二〇年初頭から始まったコロナ禍の影響もあり、いまはプロジェクトを一時ストップしているが、それが収束後、再開する。このプロジェクトについては、第五章で紹介したい。

❄安土城をシンボルとする理由

こうした経験があったからこそ、私は成田の土地を見たときに、「いまこそ温め続けてきた計画を実現する時だ」という確信を持ったのである。

この広大な土地を購入後、二〇一四年から開発をスタート。二〇一八年には、成田市の都市計画審議会に諮《はか》られ、県との協議を経て、同年六月に地区計画案が承認された。そして二〇一九年には、計画の開発許可を成田市から受けた。森林開発の許可と農地転用の許可も無事、千葉県から得られ、二〇二〇年七月、いよいよ工事が始まったのである。

成田市は、利根《とね》川水運と共に古くから栄え、印旛《いんば》沼や広大な水田地帯と森林地帯など、豊かな自然が広がる場所だ。成田山新勝寺と宗吾霊堂《そうごれいどう》の二大霊場を有する門前町としても賑《にぎ》わう土地。特に成田山新勝寺は、新年の三箇日《さんがにち》には三〇〇万人を超える初詣客で賑わい、また盛大な豆まきが話題になる。

そして成田は、一九七八年に成田国際空港が開港してからは、「日本の表玄関」としての顔を併せ持つようになった。しかし、多くの旅行客は成田を素通りし、東京など別の土地に向かう。成田国際空港という「日本の玄関」があるにもかかわらず、そのポテンシャルが活かせていなかったのだ。

その要因はいくつかあるが、数年前まで「インバウンド」という言葉も使われていなかったことからも分かるように、日本は海外からの観光客に重きを置いてこなかったことが大きい。「観光立国」という言葉も、安倍内閣になって初めて、さかんに使われるようになったと記憶している。

しかし二〇二四年には、成田に、まったく新しい街「ゲートウェイ成田」が生まれる。海外からの観光客たちはまず、この街で「日本」に出会うのだ。

では「ゲートウェイ成田」を、一足早くご案内しよう。

海外から、また日本全国からやってくるゲストを、温かみのある木造の建物が出迎える。「ゲートウェイ成田」の建物は、日本の伝統である木の温かみを基本とする予定だ。

街のシンボルとして、私はぜひ「安土城」を再現したいと考えている。

なぜ、織田信長《おだのぶなが》が築いた安土城をシンボルとするのか？　その理由は、安土の街がまさに「ゲートウェイ成田」の基本精神を実現したような街だったからである。

当時、安土は優れたエコロジー都市であり、人々は和の精神のもとに暮らしていた。また織田信長の「楽市楽座《らくいちらくざ》」政策もあり、活発な経済都市でもあった。国内だけでなく世界と貿易を行い、豊かな国づくりを目指し、新しい国を実現しようとしていた織田信長……彼の目指したビジョンの象徴が安土城であった。

「ゲートウェイ成田」もまた、「共生主義」のもと日本と世界をつなぎ、経済を活性化させ、日本を豊かにする。であるならば、その象徴は安土城以外にないと考える。

安土城や木の温かみと共に、ゲストの目を和《なご》ませてくれるのが、緑化プロデューサー・石原和幸《いしはらかずゆき》さん作の盆栽庭園だ。石原さんは、世界最古にして最も権威があるイギリスの「チェルシーフラワーショー」で、これまでに合計一一個のゴールドメダルを獲得している。エリザベス女王からも「緑の魔術師」と称えられた人物だ。

石原さんの生み出す庭園では、日本ならではの盆栽や四季折々の花々を愛《め》で、そして緑のなかで憩《いこ》うことができる。「ゲートウェイ成田」のオアシスとなるはずだ。

さらに、各ゾーンを見ていこう。

❄全国の特産品や伝統工芸品を揃えた「にっぽんもーる」

目玉はなんといっても、日本初の四七都道府県の特産品が集まるショッピングモール「にっぽんもーる」だ。たとえば北海道、沖縄、岩手、福島など、県ごとのアンテナショップは東京都内にたくさんある。また、デパートで催される各地の物産展は、いつも大人気だ。こうしたアンテナショップが数多く集まる有楽町や新橋あたりで、特産品巡りをする

世界の人々が本物の日本文化を体験する「にっぽんもーる」

のが楽しみな人も多い。簡単にお取り寄せができる現在でも、やはり現地を旅するように、いろいろと眺めながら特産品を買える楽しみは、格別なのである。

しかし、これまで、四七都道府県すべての特産品が揃う常設のモールは存在しなかった。「ゲートウェイ成田」には、各都道府県が特産品を並べ、業者もゲストも熱くなるような日本初のショッピングモールが誕生する。

特産品と共に、岩手の南部鉄器、あるいは岡山の刀剣など、日本が誇る伝統工芸品も紹介したい。全国の伝統工芸職人が集まる工房店舗街では、作品を展示し販売すると共に、ゲストがオリジナル作品を特注することができるデザインセンターを備える。

「にっぽんもーる」には、「グルメ横丁」「ビューティ横丁」「ファッション横丁」など、気軽にそぞろ歩きを楽しんでもらうエリアもある。

たとえばビューティ横丁では、世界に誇る日本のコスメや美容技術を体験できる。「普通に流通しないレアなコスメ」、あるいは「三日しか持たない新鮮な作り立てコスメ」など、スペシャル感のある商品が揃った横丁にする予定だ。

これらの商品は、その場で買うこともできるが、もちろんネットでも販売する。「国際インターネット取引所」を設け、越境ＥＣ（電子商取引：ｅコマース）サイトを立ち上げ、世界中から注文を受け、そして世界に発送するのだ。それこそアマゾンやアリババくらいの事業規模を目指している。

❄ビジネスゾーンに海外展開支援センターを

さらに、日本の技術を求める海外企業と日本の中小企業のマッチングセンター（海外展開支援センター）を設ける。当然ながら、前述したような日本全国の特産品、そして伝統工芸品もまた、海外へ送り出したい。

ここは、日本の技術、特産品、伝統工芸品などの商品、あるいはサービスと、海外の企業が出会う場となる。つまり、このプロジェクトは、特産品や伝統工芸品をゲストに直販する「ＢｔｏＣ」だけでなく、ある技術を買って海外で製造したい、あるいは、ある商品を代理店として売りたいという業者と日本の中小企業を結び付ける「ＢｔｏＢ」の場にもなるのだ。

「ＢｔｏＣ」では、一個あるいはせいぜい数十個くらいの販売数だが、「ＢｔｏＢ」では、一〇〇〇個、一万個、いや一〇万、一〇〇万単位の取引になる。

日本の中小企業は、優れた技術を持っていながらも、これまで海外進出の道は閉ざされてきた。このままでは日本経済全体がジリ貧になってしまう。それを避けるため、「ゲートウェイ成田」は、外需の獲得を目指すのだ。

このマッチングセンターでは、直接、商談が行われるのはもちろん、インターネットでリモート商談や商品取引も行われる、バーチャル展示場である。

また、素晴らしい技術や商品を持っていながら、市場を海外に広げる手段のなかった中小企業を支援するファンドも創設する。資金面の不安をなくし、中小企業が世界で売り上げを生み出す構造を作るのだ。

もちろん、革新的な技術などに対してはインキュベーション（起業や新事業の支援）も行う。たとえば研究者が持つ有望な技術があれば、私たちが育てていっても良い。積極的なインキュベーションを行う。

そして、そのために必要なコンサルティングチームも編成する。越境ＥＣ＆バーチャル展示場は、すでにシステムソフト開発に着手しており、コンサルティングも含め、二〇二一年から取引の実装プロジェクトが始まる予定である。

❄「アニメバレー」のなかにはコスプレもリアルＲＰＧも

世界中の人が熱狂する日本のアニメを集めたアニメミュージアムを備え、またアニメ制作を志す人を育てるのが、「シリコンバレー」ならぬ「アニメバレー」……これも「ゲートウェイ成田」の目玉施設になる。

さらに、音楽プロデューサーの三浦光紀《みうらこうき》さんにアドバイザーとして入っていただいたところ、「アニメだけでなくアート全般を応援するべきだ」という意見をいただいた。アニメだけでなく、アーティストとその卵たちを支援する。そして、その作品を世界に向けて発信していく。

ここでは街並みのなかに自然に溶け込むように、人気アニメに登場する建物を配置する。そして、人気アニメコンテンツを原作とする二・五次元ミュージカルも上映する。すでに我が社は、『美少女戦士セーラームーン』の二・五次元ミュージカルを手掛け、人気を博した実績がある。

また、数十万人規模のコスプレイヤーたちが集まるイベントも、毎年、開催する予定。「ゲートウェイ成田」は、全国のコスプレイヤーたちが集まる「聖地」となるはずだ。

リアルなロールプレイングゲーム（RPG）もまた、エンタメの目玉となる。

我が社が運営する三重県の「伊勢忍者キングダム」では、実体験型の「リアルRPGゲーム」が人気を呼んでいる。コンピュータゲームにはよくあるRPGだが、実体験型というのは珍しい。二〇二〇年三月には「リアルRPG『忍者大戦争～蛙と蛇と旅人と～』」をスタートさせた。

ここでゲストは、「さらわれた妹を探しに旅に出る」という物語の主人公になる。登場人物に扮した役者たちが登場し、ストーリーに沿って、主人公であるゲストを助けたり、ヒントを与えたり、逆に敵になったり……という、まったく新しい「没入型」エンターテインメントだ。

肝心《かんじん》なのは、いかにリアリティを感じられるかだが、リニューアル後、七～八人しかいなかった役者が二五名ほどに増え、また演技の質についても真に迫るものになったと自負している。

プロローグにも記したが、こうしたリアルRPGが人気を呼んだ要因もあり、「伊勢忍者キングダム」は、日本マーケティングリサーチ機構が二〇一九年に行った「大型レジャー施設についてのインターネット調査」では、「コスプレテーマパーク」「忍者テーマパーク」「食事が美味しいテーマパーク」の三部門で一位に選ばれた。

このリアルRPGは、「ゲートウェイ成田」でも、必ずや人気のアトラクションになるはずだ。

❄スタジアムも劇場もフラワーガーデン・ワールドカップも

「ゲートウェイ成田」の国際常設展示場は東京ドーム四個分もの広さがあるので、その一部に一万二〇〇〇人収容の全天候型スタジアムを建設することができる。音楽イベントはもちろんのこと、様々なスポーツやｅスポーツ大会も開催する。日本の伝統芸能の公演ができる劇場も設ける。

また、大人が音楽やダンスを楽しめるような、質の高いクラブも作る予定だ。

そして次は、ホテルと温泉。現在の成田では、市内のホテルや旅館に合計約七〇〇〇室の宿泊キャパシティがある。ただ機能優先で、滞在を楽しむようなホテルや旅館は少ないのが現状だ。また、夜の観光資源が乏しいため、成田を素通りして東京に行ってしまう観光客が多い。これが成田の課題だといえる。

「ゲートウェイ成田」には、前述したアニメミュージアムや劇場、またスタジアムで行われる各種イベントなどのエンターテインメントが充実しているから、成田国際空港に降り立った観光客は、「まず成田で楽しむ、そして帰りにも成田で楽しみ、お土産《みやげ》を買って帰国する」ことが定番になるだろう。

もちろん「ゲートウェイ成田」のホテルも、安土城と温泉を備えるなど、「泊まってみたくなる」宿泊施設だ。そこで、世界的に人気があるイギリス王立園芸協会主催のチェルシーフラワーショーで一一個のゴールドメダルを獲得した、石原和幸《いしはらかずゆき》さんデザイン企画のフラワーガーデン・ワールドカップを開催する。イギリス王室が審査委員になってもらうべく働きかけ、世界的なガーデニングフェスを毎年行うのだ。そして、安土城にも温泉にもホテルにも街並みにも、世界トップクラスの「石原デザイン」が施される。

また「ゲートウェイ成田」には、医療センターも設ける。

日本の高度な医療は、世界の富裕層にとっては非常に魅力的な存在だ。彼らが定期的にやってきて、人間ドックや検診、あるいは再生医療などを受けられる基地となる。

そして先述の通り、「ゲートウェイ成田」は成田国際空港に隣接し、成田インターチェンジはすぐ目の前という絶好の立地にある。来訪者は、敷地内のバスターミナルから気楽に、長距離バスで、東京、京都、伊勢、長野などの観光地へと向かうことができる。

❆優れた技術や商品を持つ中小企業を海外へ

「ゲートウェイ成田」では、「商業ゾーン」で売っている特産品を見たビジネス客が、その商品を自分たちで扱いたいということになり、「ビジネスゾーン」で商談することもあるだろう。または、「エンタメゾーン」で観たアニメを自国に輸入したいというプロデューサーがいるかもしれない。

ここから日本の中小企業が世界に向けて飛び立つ

すべてのことが融合し、商品が世界に飛び立ち、企業が生まれ、人が育つ……あらゆる可能性が融合する街、それが「ゲートウェイ成田」だ。

こうして多くの人たちが世界から訪れ、また旅立っていく。そして数多くの特産品や伝統工芸品が集まり、起業家、ビジネスマン、技術者、アーティスト、そして職人たちが集まる、エネルギーに満ちあふれた街になる。

「ゲートウェイ成田」の完成予想図を見ていると、我ながら「なんと夢のある街だろう」と思う。しかし、ビジネスは甘いものではないことも重々承知している。

では、国際常設展示場と海外展開支援センターで、いかに企業同士のマッチングをしていくのか？　その内容や戦略について説明しておきたい。

外務省のデータでは、海外に進出している日系企業の拠点数は七万四〇七二拠点である（二〇一九年一〇月一日時点、拠点ベース）。また、『週刊東洋経済』の過去四〇年にわたる追跡調査に基づく企業総数のデータでは、約三万二四〇〇社。これは、日本の企業総数約四二〇万社のわずか〇・七七％。つまり、海外進出している企業は、一〇〇〇社当たり七～八社に過ぎないのである。

なぜ、日本の中小企業にとって海外進出が難しいのか？　その背景には、三つの大きな理由があると考えている。

第一に、経営者自身に経験がないこと。日本の企業の九九・七％を占める中小企業の経営者は、海外とのコネクションが少ないため、的確な情報を得ることも難しい。そうした環境下、海外マーケットを狙うという発想そのものを持つことができないのである。

第二に、担当できる社員がいないこと。もし経営者が海外進出を考えたとしても、道を拓いて海外市場を開拓できる有能な「人才」（共生主義では、人材の「材」は「才」と表記する）がいない。また、ぎりぎりの社員数で業務を回している中小企業では、担当社員を置く余裕がないケースも多い。

第三に、資金だ。多くの中小企業は、資金力が豊富ではない。海外展開を図るための資金確保が難しい。どれだけ優れた技術、商品、ノウハウがあっても、資金力がないために断念することも多い。

❄海外進出に必要な手続きとパートナー探しを代行

私自身の話をしよう。「天安門事件」から一〇年が過ぎた二〇〇〇年ごろから、中国へ行き始めた。観光的な視察から始め、段階を踏んで投資案件の調査に赴き、数々の商談をするようになった。その数は三〇件以上。分譲マンション事業、高速道路への投資、シニアタウンの開発など様々だが、数十億円から数千億円程度の商談をさせていただいた。

このように、私は幸いにも現地の方々と友好的な関係を築くことができたが、海外に進出したとしても、文化や商習慣の違いのために酷い目に遭い、「もう、こりごりだ」となる話も頻繁《ひんぱん》に聞く。

中国との合弁会社設立まで漕ぎ着けたはいいが、事業を任せきりにして会社を乗っ取られ、お金も騙《だま》し取られたなど、悲劇的なケースも数多く見てきた。ある企業は、中国側のパートナーを問い詰めると、「日中戦争を忘れない」「南京大虐殺を忘れない」などと、見当違いの問題にすり替えられたという。

大企業は資金力もあり、一度や二度の失敗なら取り返せるかもしれないが、中小企業にそんな余裕はない。だったら、私たちが橋渡しをしようと思う。

海外進出で大事なのは、パイプ役となる対象国のパートナーの存在である。どんなに優れた商品やノウハウがあっても、販売網がなければ売ることはできない。基本的にパートナーに販売を任せ、自社にとってもパートナーにとっても利益が上がる仕組みを作ることが肝心《かんじん》だ。ウィンウィンの関係を築くことこそがポイントなのである。

そうした関係構築を助けるため、私たちの経験を活かしたチームがコンサルティングを行う。その企業の海外進出に必要な様々な手続きはもちろん、ニーズに応じたベストパートナーを見つけること、パートナーとなる企業の事前の信用調査や企業調査、これらも私たちが代わって行うことになる。

重要なのは、もちろんコンサルタントたちの能力と組織力だ。私は過去に、東京証券取引所二部上場の経営コンサルティング会社の代表を務め、数々のコンサルティングを行ってきた。その経験を踏まえ、このプロジェクトの理念と志を共にする新たなコンサルタント集団を作り、法人化する準備を行っている。

二〇二四年の「ゲートウェイ成田」オープン後五年以内に、総コンサルタント数が一二〇〇人程度までになることを想定している。そのうち約二〇〇人は首都圏で、約一〇〇〇人は全国各地で活躍する予定だ。

また地方で活動するコンサルタントは、金融機関出身者が良いと考えている。特に、地元の企業について知り尽くした地銀や信用金庫の出身者が、やる気のある中小企業を活気づけてくれるだろうと思っている。

❄数兆円規模の「海外展開支援ファンド」で資金もサポート

こうして「ゲートウェイ成田」の海外展開支援センターでは、中小企業の海外展開を支援していく。そのためにまず大事なのは、パイプ役となる対象国のパートナーの存在だと先に述べた。

このときパートナーとなる企業が望むのは、当然ながら、日本側の企業が優位性のある商品を持っていることだ。その商品が優位な価値を持っていればいるほど、相手はそれを欲し、日本側が商談を有利に運ぶことができる。

しかし、すべての企業が圧倒的な優位性のある商品を持っているわけではない。その場合、パートナー企業との交渉により、様々な条件が求められ、またそれに伴う予算が必要になる。

たとえば、その商品がパートナー企業に認められたものの、「大量に生産しなければ採算ベースに乗らない」という場合ならどうか。日本国内で生産ラインを強化する、あるいは、相手国に設備投資し現地生産することになるだろう。

いずれにしても、大きな予算が必要となる。数億円から、商品や条件によっては、数十億円、数百億円の規模になるかもしれない。その予算が用意できないために、海外進出を断念してしまっては元も子もない。あまりにも残念だ。

実際、私が見聞してきた限りにおいて、ほとんどの企業が資金を持ち合わせておらず、銀行に相談しても調達できないケースが多い。というのも、日本の銀行が融資を判断する基準は、事業内容をもとにするものではなく、土地などを見る担保主義であるからだ。

となれば、日本企業の海外展開を支援するためには、先述したコンサルティングによる支援に加え、資金の支援が不可欠だという結論になる。

「ゲートウェイ成田」プロジェクトでは、もちろん資金面での援助も予定している。日本企業の海外展開を支援するため、「海外展開支援ファンド」を創設するのだ。そしてオープン時には三〇〇〇億円規模の基金からスタートし、五年後には数兆円まで基金の規模を拡大する計画を立てている。

※バーチャル展示場から三〇〇〇社を選びリアルな国際常設展示場へ

しかし、「本当に、そんなに資金が集まるのか？」と思う人もいるだろう。当然である。ファンドには、もちろん「出口」が付きものだ。ファンドでは、その投資基準や諸規定によって投資の目論見《もくろみ》が定められており、その目論見には必ず、償還時期と期待利回り（期待利益）が決められている。投資した資金の出口（回収）の時期とキャピタルゲインなどの利益目標が先に存在することになる。

つまりファンドを組成するためには、投資した資金の出口戦略と回収計画が先にあり、投資先の企業のビジネスプランと資本政策が必須ということになる。

そのため、もちろん私たちが全国から集めた百戦錬磨のコンサルティングチームが、練りに練って戦略を確立させる予定だ。

私はこれまで、多くの新規性のある技術やビジネスモデルを見てきた。その多くは、まだビジネスの「種」の段階や、ようやく「発芽」した段階の案件であり、しっかりと育て上げないと、枯れて成長できない案件だった。逆にいえば、きちんとした戦略をもって、経験を積んだ人間が目を配り、肥料や水を適切に与えれば、必ず育つ案件がたくさんあるのだ。

一方、投資家は、こうした出口戦略、回収計画、そして対象となる商品などを吟味《ぎんみ》して、ファンドに出資するわけだ。となれば、多くの人が「海外展開支援ファンド」を信頼し出資するには、やはり先行事例が必要であろうと思う。

実は「ゲートウェイ成田」の国際常設展示場に出展する商品の募集は、二〇二四年のオープンを待たず、先行して募集をかける予定だ。まずネット上の「バーチャル展示場」を、「リアル展示場」より先にオープンする。開設と共に、全国から「この商品こそ世界に進出させたい」と望む企業を募集し、「バーチャル展示場」に展示してもらう。ここまでなら企業としても、意欲さえあれば、多くの負担なく可能となる。

それらを吟味したうえで、コンサルティングチームが、有望な商品に対してコンサルティングを開始する。海外のパートナー企業の選定やマーケティングなどを行い、ビジネスを進めていく。その成功事例をネット上で紹介すると共に、全国でセミナーを行い、出展したい企業、同時に、このような企業を応援し出資したいという人を募集していくのだ。

一方、バーチャル展示場への出展企業もまた拡大させ、二〇二四年のオープン時には、そのなかでも有望な三〇〇〇社をリアルな国際常設展示場で紹介することになっている。

すでに準備は始まっており、二〇二四年の国際常設展示場オープンまでに、マッチングコンサルティングのモデルは完成する予定だ。

「ゲートウェイ成田」のオープン以前から、こうした海外展開支援の成功事例を積み上げれば、次第に出資者も出資額も増えていくと考えている。

このモデルによって、海外展開したい企業が夢を実現し、出資する人も企業も機関投資家も、銀行預金より多く配当が得られる。その結果、日本という国がより多くの外需を得て、ひいては国民全体が豊かになる。

——これこそが私の考える「共生主義」なのである。

日本が世界に誇ることのできる素晴らしい商品は、まだまだ全国のそこかしこに眠っている。先述したように「バーチャル展示場」でも募集していくが、本書を読まれて共感を抱いてくださった読者の方々が周囲に話をして、それがさらに大学の研究者や企業の技術者など様々な人々に広がり、良き情報が集まることを楽しみにしている。

❄中国やインドネシアの官僚が絶賛する「ゲートウェイ成田」

「ゲートウェイ成田」プロジェクトは二〇一四年から進めており、私はその間に訪問した国の重要人物に、その都度《つど》、プロジェクトについて話してきた。日本でいえば経済産業省のような部署の関係者である。

「日本の成田で、国際常設展示場を設置し、海外企業とのネットワークを広げる企画がある。もちろん、リモート商談も可能だ。興味はあるか？」

私のこの問いに、中国もインドネシアも大乗り気だった。共に、私に気を使ってお世辞で答えるような人物ではない。彼らが心から日本の技術や商品に魅力を感じているのだと確信した。

このプロジェクトは、日本側の企業だけが利益を得るのではなく、提携先の相手国の企業もまた利益を得る。共に利益を上げるものだ。

こうした関係を、私は「共生主義」と呼ぶ。英語でいえば「ウィンウィン」、そして、昔から近江《おうみ》商人の商売哲学として知られている「三方良し」の精神である。「買い手良し、売り手良し、世間良し」、つまり、買った人と売った人の双方に役立ち、その結果、社会にとっても良い商売であること——これが「三方良し」だ。

日本では昔から、このような精神を大事にしてきたのである。なんと素晴らしい国だろうか。「ゲートウェイ成田」プロジェクトは「三方良し」のグローバルバージョンだと考えている。

❄自分も相手もみなが豊かになる「共生主義」の時代に

限りある資源や富を奪い合う資本主義は、もはや限界に来ているのではないか——私は二〇〇八年のリーマン・ショックのころから、そう考えていた。

地上が平和で豊かに見えても、一つの綻《ほころ》びによって、世界中が金融危機に陥ってしまう。何かがおかしい。これまで当たり前だと思っていた資本主義というシステムに問題があるのではないか。そう考えたのだ。

さらに、資本主義のベースにあるのは、「拡大再生産」と「利潤追求」の考え方だ。弱肉強食の競争原理のもと、質が良くても悪くても「どれだけ儲けたか」に重きを置く利益偏重経済である。

しかし、そうした物質主義による資本主義経済のもとでは、もはや商品やサービスを受け取る人々が幸せを感じられなくなっている。おそらくそれは、地球全体の危機を多くの人間が感じ取り、モノに執着する虚《むな》しさを本能的に感じているからではないか。

地球温暖化、度重なる災害、新型ウイルスの流行、多発する地域紛争……だからこそ人々は量よりも質を求め、物質主義から精神主義へと変わっていきつつあるのではないか。

近年、モノを「所有」するのではなく「共有」する、「シェアリングエコノミー」という言葉が生まれた。カーシェアリング、シェアサイクル、シェアハウス、シェアオフィス……フリマアプリもまた、時間差のある「シェア」だといえる。もちろん経済的なメリットもあるだろうが、多くの人は他の人と「シェアする喜び」を感じているからこそ、こんなにも一気に広まったのだろう。

建設現場から「共生主義」を誓う

可能な限りモノを持たない「ミニマリスト」が現れ、モノを捨てる「断捨離《だんしゃり》」本がベストセラーとなる。こんな時代が過去にあっただろうか？　もはや私たちは、モノを所有することに大きな価値を見出《みいだ》さなくなっているのである。

リーマン・ショックのころから、私は資本主義の終焉《しゅうえん》を感じていた。そして「ポスト資本主義」は、共に分け合う「共生主義」だと痛感した。

この「共生主義」では、自分も相手も、みなが豊かになる。つまり、社会そのものを豊かにしていく新たな価値観だ。そこに、「自分だけが儲かれば良い」という利己的な行為は存在しない。「奪い合い」ではなく、お互いが共に利益を得る「与え合い」の経済社会を実現するのだ。

資本主義のように、商品やサービスを無限に増やし続けることには、大きな価値を見出さない。「拡大再生産」ではなく「高質再生産」、つまり、高付加価値な商品やサービスを生み出していく。

まとめると、資本主義の次にやってくる「共生主義」とは、「人間の創造力やアイデアを駆使して、隣人のために高付加価値な商品やサービスを生み出し、それをお互いに分配し合うことで共に繁栄する経済のありよう」である。

そして、その先頭に立つのが日本だ——。

日本人は世界のなかでも優秀な国民だと、私は思う。技術だけでなく「三方良し」のような素晴らしい思想も脈々と伝えてきた。日本が世界各国と共に生き、共に栄えるという思想のもとに行動を起こすことが、世界を救うと信じている。

その契機となるのが、「ゲートウェイ成田」プロジェクトなのである。

第三章　日本の文化力と技術力の底力

❄マンガ・アニメの海外・インバウンド消費は一〇兆円超え

「ゲートウェイ成田」プロジェクトは、日本の質の高い商品、技術、サービスを世界に発信し、外需を呼び込むプロジェクトだ。成功のカギは、当然ながら、魅力的なコンテンツやソフトが揃っているかどうかにかかっている。

では、日本が世界に誇れるものとは何か？　世界からそれを求めて多くの人がやってくる力のあるコンテンツとは何か？

私は六年間にわたって様々な専門家の方々との話し合いを重ね、マーケティングを行い、さらに考え続けてきた。その結果、導き出した答えが「日本文化」だった。なかでも「マンガ・アニメ文化」が、大きな柱になると確信したのである。

子どものころに「マンガばかり読んでいてはダメ」と叱《しか》られた世代には隔世の感があるかもしれないが、マンガとアニメは、いまや日本を代表する文化であり、ビジネスなのだ。世界各国に膨大《ぼうだい》なファンが存在し、非常に高い評価を受け、日本経済を支えるほどの大きな産業に発展している。

特に文化的な面では、たとえば南米では、人々は幼少のころから日本製のアニメばかりを観て育つ。いわば日本文化が、もしかすると彼の地の人たちの人格形成に寄与しているかもしれないのだ。『週刊少年ジャンプ』がモットーとして掲げる「友情・努力・勝利」が世界に敷衍《ふえん》されるのなら、間違いなく日本のマンガとアニメは、私が推進する「共生主義」の強い武器にもなる。

二〇一九年度版（二〇一八年実績）の日本動画協会の「アニメ産業レポート」によると、日本のアニメ産業全体の海外売り上げは一兆円超。さらに、二〇一九年のインバウンド消費は、なんと四兆円を超えている。外国から日本にやってくる観光客が、アニメ関連のグッズや体験アトラクションなどに、かなりの額のお金を使っているということになる。

コロナ禍が収束すれば、これまで抑えていた人々のエネルギーは一気に爆発し、その消費は「ビフォー・コロナ」を軽く超えていくのは間違いない。「アフター・コロナ」にインバウンド客が増えれば、アニメ関連の消費規模は、六兆円、いや七兆円を超えると推測される。将来的には、マンガ・アニメ関連の海外での売り上げとインバウンド消費を合わせ、一〇兆円を超える見通しとなっている。

それだけではない。先に南米での状況を記したが、私がマンガやアニメに主眼を置いた理由は、「マンガ・アニメを通じて日本文化を好きになる外国人が非常に多い」という点にもある。

「アニメ聖地巡礼」という言葉をご存じだろうか？　作品に登場する、あるいはモデルになっている街、旅館、神社仏閣、それにグルメ店などを巡ることが、ファンのあいだでは大人気なのである。

外国の方々は、こうした聖地を巡礼したり、また作品そのものを通じて日本の文化に触れたりしていくうち、次第に「日本文化」そのもののファンになっていく。日本文化を好きになるということは、日本人が好きになり、日本の商品・サービスが好きになるという流れを生む。その大きな流れが、日本のすべての商品のマーケット拡大につながる可能性を秘めているのだ。

そのため、もっと積極的に、日本の特産品や商品、あるいは街そのものを世界にアピールする戦略的ツールとして、マンガ・アニメを活用しても良いだろう。

たとえば世界に売り出したい「ある街」をテーマとして、クリエイターにマンガ、あるいはアニメを制作してもらうのである。単なるＰＲ作品ではなく、作品としてクオリティの高い、純粋にストーリーも楽しめるレベルでなくてはならない。もちろん、こうしたクリエイターの育成も「ゲートウェイ成田」の役割の一つである。

このように、マンガ・アニメはものすごいポテンシャルを持つ世界だが、いまアニメ業界には波紋が生じている。中国政府が、急速に、アニメ制作と興行に力を入れているのだ。同時に、日本を含む海外のアニメ作品の上映を規制する政策も進めている。

中国という国が、あるジャンルに真剣に国力を注入したとき、急速な発展を見せることは、IT業界を見ても分かる。いうまでもない、国の方針が経済に直結しているからだ。

その結果、中国のアニメ産業が急成長し、日本のアニメ制作会社が中国企業の下請けになりつつあるという厳しい実態がある。このままでは、日本のマンガ・アニメ産業が持っている本来の力を削《そ》がれることになりかねない。

こうした背景もあって、私は日本が誇るマンガ・アニメ産業を後押しして、その地位を盤石《ばんじゃく》なものとしたい。外需を獲得するための大事なソフトパワーであるからだ。

そこで、「ゲートウェイ成田」をマンガとアニメの世界的な産業拠点とするつもりだ。IT業界ならアメリカには「シリコンバレー」がある。「ゲートウェイ成田」はアニメ版シリコンバレーであり、いってみれば「アニメバレー」だ。

さらに「ゲートウェイ成田」では、先に述べた、我が社がノウハウを持っている実体験型リアルRPGを売り物にする予定だ。となれば、海外でも人気の高いアニメとコラボしたリアルRPGを、ぜひとも実現させたい。

たとえば、忍者をテーマにした『NARUTO―ナルト―』、世界的な人気を博す『ONE PIECE』などとコラボすることを目指すのだ。『NARUTO―ナルト―』は世界で累計発行部数二億五〇〇〇万部、『ONE PIECE』は同じく四億八〇〇〇万部を売り上げている。爆発的な集客力のキラーコンテンツとなるのは間違いない。

❄日本の伝統工芸が一大産業に

マンガとアニメばかりではない。日本全国に、素晴らしいソフトパワーが、まだまだ眠っている。

また、全国には数多《あまた》の伝統的な工芸品があるが、その多くは時代と共に活力を失い、また後継者問題にも直面している。日本の伝統工芸を復活させるには、どうしたらいいのか――私は二〇年来、このテーマについて考えてきた。

そこで自ら伝統工芸を知ろうと、伝統と優れた技術力を持つ奈良県の会社と提携し、「AMATELUZ《アマテラス》」という革製品のブランドを立ち上げた。プロフェッショナルたちの手による一切の妥協がない商品を世に出したいと思ったのだ。

ちなみに我が社が運営するテーマパーク「伊勢忍者キングダム」では、現職の刀匠を招き、刀鍛冶工房を開設している。「日本のモノづくりの伝統は、武士の魂である刀鍛冶にあり」と考えたからだ。私は実際に「玉鋼《たまはがね》」を打ち、美術刀を生産する体験もした。

こうした自らの経験もあり、「ゲートウェイ成田」には必ず伝統工芸の工房店舗街を造ろうと決意していたのだ。

素晴らしい伝統工芸を、きちんと次世代につなげていくためには、その手間暇に見合う対価を与えなければならない。つまりは、ニーズを持ち、高い評価を与えてくれる買い手を探すのが大事なのである。そのためにはニーズを国内ばかりに求めていてはならない。そう、マーケットは海外にもあるのだ。

このようにニーズを海外に求めるのには、もう一つ理由がある。私たち日本人が見慣れてしまったり、当たり前だと思ったりしているものに、外国人が新鮮な魅力を感じることが多々あるという事実だ。たとえば一七世紀、日本の磁器はヨーロッパで珍重《ちんちょう》され、大事な輸出品となっていた。

私がいま非常に期待している伝統工芸品が、「南部鉄器」である。

岩手県盛岡市、および奥州《おうしゅう》市で作り続けられてきた伝統工芸品が南部鉄器。盛岡の南部鉄器は、一六世紀末、盛岡藩主南部氏が盛岡城を築城したときに始まり、その技術が歴代藩主のもとで守られてきたという。

一方、奥州の南部鉄器は、平安後期に藤原清衡《ふじわらのきよひら》が近江から鋳物師《いものし》を招いたのが始まりとされる。盛岡市と奥州市でルーツは違うが、ともに素晴らしい伝統工芸品である。

南部鉄器は、素朴な風合いや鉄の素材を活かした高いデザイン性から、近年、新たな人気を集めている。また南部鉄瓶《てつびん》で湯を沸かすと、その鉄分が溶け出し、なんともいえないまろやかな湯になる。それは南部鉄瓶から二価鉄という吸収されやすい鉄分が湯に溶け出るためであり、鉄分が不足しがちな現代において、健康面からも注目されている。

実は、南部鉄器は、すでに中国の富裕層から人気を集めている。

先述の通り、私は仕事上、幾度も中国の企業を訪ねてきた。すると、中国の経営者のほとんどが茶をたしなんでおり、自室の茶席コーナーで来客をもてなす習慣がある。

日本では、中国茶といえばウーロン茶かプーアール茶、あるいはジャスミン茶くらいしか浸透していないが、この中国茶には実に多くの種類がある。なかには一〇〇グラム当たり数百万円という、特別な茶もあるという。私が接待を受けた経営者のなかには、年間、日本円で六〇〇〇万円もの金額を茶に使っている人もいて、驚いた。

当然、彼らは、とっておきの高価な茶を楽しむ茶道具に対しても、特段のこだわりがある。かなりの人数が、すでに南部鉄器の茶釜や鉄瓶を購入していた。

そして、やはり「味がまろやかになる」というのだ。「中国の鉄器ではダメなのか」と聞くと、「中国では鉄といっても何が入っているか分からん」「中国人は中国人のことをよく知っているんだよ」と、自虐交じりに語った。私は笑っていいものかどうか困ったものだ。

しかし、彼らがいうことは真実だろう。中国人の富裕層の目には、数百年も頑《かたく》なまでに伝統を守り、同じ製法で作り続けられている南部鉄瓶は信頼できるし、非常に魅力的に映るのだ。そして、なにより南部鉄瓶で沸かした湯で淹《い》れた茶が美味しい。自国の信用できない製品で、せっかくの自慢の茶を飲みたくはないのである。

いまはまだ、本当に茶好きの一部の富裕層が南部鉄器に目を付けているだけだが、本気で売り出したらどうだろうか。少なくとも私は、大きなビジネスチャンスを感じた。

❊アリババと提携して地場産業を世界に

中国の企業数は、約二〇〇〇万社にもなる。仮に、そのオーナーたちのなかで経済的に豊かな約五％をターゲットとして考えよう。

南部鉄器は、もちろん既成のものでも素晴らしいのだが、ターゲットは富裕層だ。値段は高くても、中国人の好みに合わせたデザインのものが良い。あるいは、購入者の好みに従ってオーダーできるなど、スペシャル感のある商品のほうがより人気を呼ぶだろう。普通に売られている南部鉄瓶の価格は数万円から一〇万円程度だが、これなら三〇万円の価格にしても十分に売れるはずだ。

大切なのは販売方法である。第二章でも述べたように、海外に進出する際、最も大事なのはパートナーだ。マーケットをあらかじめ持っているパートナーと、共同で、意見交換をしながら、商品を開発して売ることが大事だ。

そのパートナーとマッチングさせるのが私たちの役割であり、マッチングの場として今後、最大限に活用できるのが「ゲートウェイ成田」なのである。

理想をいえば、中国のｅコマース企業「アリババ」と組めたら最高だろう。

アリババは、アマゾンや日本の楽天のように、インターネット販売のプラットフォームを運営している。そのアリババグループの年間売上金額は、二〇二〇年会計年度で約七兆六五〇〇億円、利益額は約二兆一一〇〇億円……このアリババをパートナーとして商品開発を行い、また中国でのマーケティングを戦略的に行うのである。

たとえば三〇万円の南部鉄瓶を二〇〇万個販売できれば、六〇〇〇億円の売り上げだ。売り上げから経費やパートナーの取り分を除いても、だいたい半額の三〇〇〇億円が南部鉄瓶の製造元に分配されることになる。地域産業にとっては、非常に大きい金額だろう。

伝統工芸を存続させるためにも、これは喜ばしい事業だ。内需にこだわらず、中国という大きなマーケットを目指し、日本の文化力で外需を獲得する結果である。

❄安全・安心な日本の食品を六次産業化して

期待できるのは南部鉄器だけではない。日本が誇る農産物、海産物、加工品、発酵食品など、食品部門だけでも数多くの有望商品がある。自国の良さは見えづらいものだが、実は日本ほど安全で美味しい食品が簡単に手に入る国はないのだ。

私は全国各地によく出かけるが、駅ビルや空港などで地場の特産品を熱心に販売している光景に、頻繁に出会う。

「六次産業化」という言葉がある。農業や漁業といった第一次産業に従事する人たちが、農作物を作ったり魚介類を獲るだけでなく、それらを原料に加工品の製造や販売までを手掛けることを指す。付加価値が付いて高い値段で売れること、また、日持ちのしない生鮮食品を加工することで長期間保存できるようにすること、などの狙いがある。

「第二次産業＝加工」「第三次産業＝流通」までも行うので、一と二と三を掛けて（足して、という説もある）「第六次産業」となったらしい。

せっかく苦労して生産した商品なのだから、付加価値を付けていこう、新たな魅力を引き出そう、そうした動きは素晴らしいのだが、生産者にとっての大きな課題は、販路や売り場の確保だ。ＳＮＳの活用、あるいは独自のホームページを作るといった努力をしても、やはり販売がネックとなってしまう。

実際、設備投資をして良いものを作っても、販売ルートが確保できずに失敗に終わった……地方産業のそんな残念なケースを、私はこれまで数え切れないほど見てきた。だからこそ、努力している生産者が農水産物や商品を直接売ることができるマルシェを作れないものかと、考え続けてきたのである。この発想は、第二章に記した関越自動車道の上里サービスエリアの計画の根底にもあった。

さらに我が社は、農作物そのものの価値を上げるという事業も行っている。

たとえば我が社が出資している農業法人が栽培する農作物に、「神バナナ」という名前のバナナがある。バナナといえば、みなさんは安く手に入る庶民的なフルーツというイメージを持つだろう。しかし、昭和三〇年代（一九五五～六四年）くらいまでは高級フルーツであり、いまでいうマスクメロンのような位置づけだった。それが一九六三年に輸入が自由化され、フィリピンなどから大量に輸入されるようになると、価格は徐々に下がり、庶民でも気軽に食べられるフルーツになっていった。

しかし、こうしたバナナは未熟のまま出荷され、輸入の際にはカビ防止剤を添加するため、安心して食べられるフルーツではなくなってしまった。

一方、私たちの「神バナナ」は、鹿児島県のバナナ栽培に最適な環境で、農薬を使わずに丁寧に育てたもの。その年その年の季節の変化を考慮して、湿度や温度などの状態を徹底的に管理し、しっかりとしたバナナの木に育て上げる。

また、「名水百選」に選ばれた天然水や肥料を最適なタイミングで与えることで、これまでのバナナの概念を変えるような素晴らしいバナナを誕生させた。だからこそ皮ごと食べられるし、その皮もまた美味なのだ。

値段は一本八〇〇円程度と、たしかに高価だ。しかし、本来のバナナの味わいがあり、なによりも安心して食べられるとあって、順調に販売実績を伸ばしている。

この「神バナナ」を「ゲートウェイ成田」で食べられるようにすれば、海外からのゲストの人気を呼ぶに違いない。もちろん、将来的に流通を工夫《くふう》し、中国などへの輸出も考えている。

どの国にも富裕層はおり、彼らは安心して食べられる食材を求めている。しかも美味しいものとなれば、お金は惜しまないのである。日本のイチゴやリンゴが、中国に高値で輸出されていることは、その好例といえよう。

もちろん、こうした素晴らしい食材を誰でも気軽に買える価格で販売できることが理想だ。そのため、私たちは一〇年以上前から、農業、林業、漁業の技術者らと緊密な連携を取りながら、日本の第一次産業を変えていくための技術革新を後押ししてきた。バイオテクノロジーや土壌改良によって、農作物が本来持っている能力を最大限に引き出す「アグレボバイオテクノロジー」もその一つだ。

また水産業では、独自の技術による陸上養殖事業も進行しつつある。

「医食同源」と古くからいわれるように、すべての人が健やかに生きるには「食」が大事になる。安心で、より美味しい農水産物が食べられるよう、これからも研究を支援していくつもりだ。その成果も、「ゲートウェイ成田」で堪能《たんのう》することができる。

※再生医療で得る一兆円は未来の開発費に

医療もまた日本の貴重なソフトパワー、そして技術資源の一つである。

コロナ禍以前には、日本の高いレベルの人間ドックを受診するなど、すでに相当な「医療インバウンド消費」が存在した。中国人の富裕層などにとって、安全で細やかな日本の医療機関の検査は、高額の費用を払う価値があるものなのだ。

将来的には、検査ばかりではなく、日本での治療を望む富裕層が出てくるのは間違いない。

そこで私たちは、「医療センター&幹細胞バンク」を「ゲートウェイ成田」のビジネスゾーン内に建設する予定だ。ここで中心的に取り組む研究分野の一つが、幹細胞治療である。

幹細胞とは、老化した組織や傷ついた組織を修復、または再生する能力を持った細胞であり、それを使った治療を幹細胞治療と呼ぶ。

幹細胞治療では、まず自分の幹細胞を取り出し、凍結保存しておく。それを必要なときに取り出して培養、静脈注射で体に戻すことで、体内が活性化し、体のあらゆる臓器や部位の機能修復を促すというものだ。

この幹細胞治療の試みは、すでに我が社が出資する東京・銀座の「N2クリニック」で行われている。

培養した幹細胞を用いた再生医療等を提供する医療機関は、実施する再生医療技術ごとに再生医療等提供計画を作成し、厚生労働省が認可した専門委員会によって、基準に適しているか否《いな》かの審査を受けなければならない。N2クリニックは、このようなプロセスを経て認可を受けた再生医療専門の医療施設である。すでに約五年にわたり幹細胞治療を行い、臨床実績を蓄積している。

また「ゲートウェイ成田」のオープン後、「幹細胞バンク」は、世界の富裕層三〇万人を対象に、一人当たり三万ドルで幹細胞の検体を募集し、凍結保存するプロジェクトをスタートさせる予定だ。

自分の幹細胞を預けた人たちは、必要があれば「ゲートウェイ成田」にやってきて治療を受けることになる。このプロジェクトについても、成田国際空港に隣接する立地が非常に有効となる。

一方で、こうして得た、一人三万ドル、三〇万人分で九〇億ドル、日本円にして約一兆円の資金は、未来型の再生医療の研究のために使われることになる。

再生医療では、特にｉＰＳ細胞が有名だが、このｉＰＳ細胞も世界中から検体を募集して凍結保存し、医療技術の革新や臨床試験データの集積を行う予定である。

こうした先進的な治療技術を開発していく再生医療事業が、健康・医療産業の有力な柱の一つとなる。

「ゲートウェイ成田」の医療センターでは、大学や研究機関と共同で、幹細胞治療をはじめ様々な研究事業を立ち上げる。より多くの人が、より健康に、より長生きできる医療を実現するのは、そう遠い未来ではないだろう。

❄世界が変わる日本の革新技術の数々

ところで、人々が争うのはなぜだろうか？　人間は食糧や領土を巡って戦い、また資源を巡って争う。かつて日本が戦争を起こした理由を思い起こせば分かるように、人間が生きていくのに必要なものが有限であるからなのだ。

であれば、すべての人々が食糧を十分に得られる状態、資源も無限に得られる体制を作れば、世界に争いはなくなるのではないか——少なくとも、私は真剣にそう考えている。そして、そのときこそ、奪い合う「資本主義」ではなく、与え合う「共生主義」が実現するのだ。

ただし、そのためには、先進的な技術やイノベーションが必要となる。私が、「日本が『共生主義』の先頭に立つべきだ」と主張するのは、日本がそのために必要な技術を数多く持っているからなのだ。その技術が世に出ると「生活が変わる」「国が変わる」、そして「世界が変わる」……そうした革新性のある技術が、日本には、無限に眠っているのである。

そのほんの一部を挙げてみよう。

①**エネルギー革新**：低コストの発電方法によって電気代がタダ同然の価格になる
②**通信革新**：通信費が現在の数分の一になる
③**農業革新**：バイオテクノロジーや独自の栽培法によって農業の生産量が倍増する
④**環境革新**：プラスチックゴミを処理して再資源化・無害化する
⑤**流通革新**：生鮮食品や加工食品の質が衰えずに賞味期限が長期化する

まるで夢のようなことばかりだと思われるかもしれないが、もちろん私は根拠となる技術をしっかりと確かめたうえで書いている。

私が「日本には、世界を変える、世界を救うだけの実力がある」という確信を持っているのは、情報が得られるとすぐに全国各地に飛び、実際にその技術を確かめているからなのだ。日本の政府機関、大学、民間企業の研究者や技術者たちが有する潜在的な革新技術は、無尽蔵《むじんぞう》であると、自信を持っていえる。

実は私は、過去に、あるエネルギー源を実用化しようとした経験がある。

子どものころ、私は石油ショックを経験したせいか、「化石燃料が枯渇すると大変なことになる」という危機意識が、常に脳裏にある。そこで、サトウキビから生まれるバイオエタノールを自動車の燃料として使うことができないか、そう考えたのだ。加えて、バイオエタノールは植物由来のエネルギー燃料なのでカーボンニュートラルでもあり、環境への負荷が少ない。

かつては石油を輸入に頼っていたブラジルでは、石油ショックを経験し、バイオエタノール車が研究された。そして、当時すでにバイオエタノールで走る自動車が実用化されていた。私はブラジルを訪れ、現地のプラント会社を視察し、ブラジルの農務省にも掛け合って、「日本でも実用化できる」という確信を得たのだ。

そのため当時の通商産業省（現・経済産業省）にも出向き、日本で自動車に消費されるガソリン量を確認した。すると、ブラジルで獲得可能なサトウキビ農地の面積を勘案しても、すべてを置き換えられることが分かった。

しかし、事業化には至らなかった……なぜか？

ここで詳しくは記さないが、バイオエタノール車が実用化してしまうと、ガソリンを前提として存在してきた既存の多くの企業が困るからだ。これまで、その産業で生きてきた多くの人々が、生きていけなくなる……そのため強い抵抗や妨害に遭い、この計画は諦めざるを得なかった。

ただ、この経験から、エネルギーは化石燃料だけでなく植物からも作れるものだという、意識のコペルニクス的転回が起こった。

❄世界のエネルギー問題もゴミ問題も解決する技術

これまで日本は「資源が乏しい国」といわれてきた。しかし、それは主に、化石燃料の埋蔵量が少ないからである。埋もれた多くの技術が日の目を見れば、日本は資源には困らない。いや、その技術は日本に限らず世界に輸出されるから、世界中が資源の心配をしないで済む。

時期的にまだ公開できない内容もあるが、可能な限り、私が事業化しようとしている技術を、以下に紹介していこう。

①トリウム型原発

電気は、いうまでもなく私たちの生活にとって欠かせないエネルギーだ。戦後の日本は、火力発電、水力発電、そして原子力発電によって、必要とするほとんどの電力を得てきた。

そして、二〇一一年三月一一日、東京電力福島第一原子力発電所の事故が起きてしまった。これを受けて、太陽光、風力、地熱、バイオマスといった再生可能エネルギーによる発電も増加してはいるが、まだまだ割合としては少ない。

外国の資源に頼らず、より安全に電力を生み出す技術は、日本にとっての悲願といってもいいだろう。私はその技術の一つとして、新しい原子力発電に注目している。それは、燃料を従来のウランからトリウムに変える「トリウム型原発」である。

この原発でウランに代えてトリウムを使うと、燃料形態が固体から液体へと変わり、原子炉の構造がシンプルになる。そして、発電所を超小型化することが可能になるのだ。なによりも、トリウム溶融塩炉は安全性が非常に高い。発電効率も極めて高く、想定コストは一キロワット当たり、わずか三円未満なのである。

日本人にとって原発に対する不安は大きいが、トリウム型原発は、次世代型といってもいい、革新的な発電を行う原子炉なのである。すなわち安全・安心で、プルトニウムを生成せず平和利用のみ、そして発電効率が高いため安価、かつ今後ますます増大する世界のエネルギー需要に応えられるだけの十分な供給力を秘める。トリウム型原発は、こうした様々なメリットを兼ね備えている。

②核融合発電

さらに進化した安全な発電法として、「核融合発電」の研究が進んでいる。

従来の原子力発電は「核分裂」によるエネルギーで発電を行っていた。「核融合」は、太陽をはじめとする宇宙の恒星が生み出すエネルギー源と同じ反応。すなわち、太陽で起きている現象を人類の手によって生み出すことと同義になる。だからこそ核融合は、「地上に太陽を作る研究」だといわれている。

この核融合発電は、水素やヘリウムの核融合反応を利用してエネルギーを生み出す。燃料は水素、すなわち水。ゆえにコストは一キロワット当たり三円ほどで済むと試算している。実現すれば、まさに人類にとっては夢の発電となる。

核融合は超高温の環境であれば実現しているが、簡単な装置で核融合発電を可能にするためには、常温近くでの核融合を成功させなければならない。

そのため私は、ある研究者が「低温核融合」に成功したと聞いて、矢も楯《たて》もたまらず、すぐに会いに行った。そうして実験室にうかがって装置やデータを見せてもらい、低温核融合の成功を、この目で確かめた。

そして結果的に、この技術に私の関係者が投資した。まだ詳しくは書けないが、この技術が実用化されるのも、遠い未来ではないだろう。

安価かつクリーンなエネルギーが生まれれば、農業や漁業にも大きなメリットとなる。たとえば農業用ビニールハウスの暖房費や光熱費、あるいは漁船の燃料代は、農家や漁師にとって大きな負担となっている。そうした経費が現在の数十分の一にまで削減できれば、生産性はもっともっと上がるだろう。

ただ、こうした技術は、決して日本だけで独り占めにしてはいけないと考えている。世界へ、特に発展途上国へと輸出して、その恩恵を分かち合うのだ。

そのときの輸出拠点として、そしてエネルギー新時代を構築していくための先進的な場所としても、「ゲートウェイ成田」がある。輸出のための商談の場としても役立つが、その前段階として、そこで研究者が先進的な技術を実験する、あるいはシンポジウムを開くのだ。新技術を広く紹介するような場ともなるに違いない。

③亜臨界水処理

「捨てられていた廃プラスチックを食べることができる」といっても、多くの人は信じてくれないだろう。しかし私は、その「元プラスチック」を、実際に食べたことがあるのだ。

「亜臨界水処理《ありんかいすい》」という言葉を聞いたことがあるだろうか？

水を高温にして高圧をかけると、「亜臨界水」と呼ばれる、通常の水とはまったく違う性質を帯びる。二〇〜三〇気圧、摂氏二〇〇度くらいの亜臨界水で処理することで、生ゴミ、汚泥《おでい》、糞尿《ふんにょう》、そして廃プラスチックなどを無害化することができる。焼却ではなく「分解」するので、再資源化できるのだ。

処理装置の大きさもコンパクトだ。会社や地域ごとに普及すれば、いま日本中が苦労しているゴミ処理や産業廃棄物に関する問題、そして廃プラスチックによる海洋汚染の問題などを解決することができる。

その無害化、再資源化した廃プラスチックを、「食べてみますか？」といわれたときは、正直びびった。しかし、この技術を確かめるからには、食べてみなくてはならない。

おそるおそる口に入れる……味はまったくない。不思議な気分だったが、その後も健康に過ごしている。あらためて技術の進歩に感動し、「これで世界のゴミ問題は解決する」と、小躍りしたのだった。

また、ゴミ問題の解決と同時に、栄養分や味を加えることで、食糧問題も同様に解決できるかもしれない。

④進化型ＬＥＤ電球

消費電力がＬＥＤのさらに一〇分の一という、すごい進化型ＬＥＤ電球が開発されている。しかも、従来のＬＥＤ電球は熱を持ってしまうのが難点だったが、この電球は人肌を超えるくらいしか熱を持たないのである。

耐久力もあり、照射力は約五〇〇メートルと抜群。海中でも約二〇〇メートルは照射可能なので、工場や倉庫、あるいは漁船、そして農業にも最適なのだ。

これを世界に広めれば、家庭やオフィスでの消費電力の低減はもちろん、農家のコスト削減、あるいは漁船の漁獲量アップにもつながるだろう。

この電球の技術は、実はかつて「戦艦大和」で使われていた技術を応用しているという。戦艦では、砲撃したあと、熱を持った砲身を素早く冷まさなければならない。そのため、砲身の一部に穴をあけ、空気の対流が起きるような設計がなされていた。その技術を応用し、電球内で空気の対流を起こし、熱を持たない電球を開発したのである。

七〇年以上前の日本にこのような技術があったこと、そしてその技術を現代に蘇らせ、役立てていること……やはり日本という国、そして日本人は素晴らしい、と実感するのだ。

⑤食品保存の新技術

食品に含まれる水分組成のクラスターを小さくして、数珠つなぎにすることで、食品の保存期間を長くする技術が開発されている。スーパーで買ってきた生鮮食品や加工食品を、家庭用の冷蔵庫に保管しておいても、現在よりも長期間、食べることができるようになる。

日本では、年間二五五〇万トンの食品廃棄物等が出されている（農林水産省および環境省「平成二九（二〇一七）年度推計」）。これは、世界中で飢餓《きが》に苦しむ人々に向けた世界の食糧援助量、約三九〇万トン（二〇一八年）の六・五倍に相当するという。私は、この問題に非常に胸を痛めている。

家庭の冷蔵庫に食品をしまっておき、その存在を忘れてしまって賞味期限が過ぎ、捨てざるを得なくなった経験は、誰にでもあるはずだ。保存期間を長くできる技術が普及すれば、こうした食品廃棄を減らすことにも役立つ。

またビジネス面から考えると、これまで航空便でしか送れなかった野菜、果物、食肉、魚介類などの生鮮食品が、船便などでコンテナごと送れるようになり、流通コストが下がる。農家や漁師が自分たちで直接、生産物を販売するためにも、おおいに役立つはずだ。そして先述した「神バナナ」なども、この技術を使えば、海外にも広く輸出できる。

この技術は物流の仕組みを根底から変える――流通革命となるだろう。

⑥カラー技術

光を活用した特許技術を組み込んで開発したデバイスを使い、スマホに取り込んだ二〇〇色以上の色と連動させて照射し、モノの色を自由に変えられる技術……すでにネイルのカラーリングでは実用化されており、好きな色を選び、自分の爪に照射することで、自由に色を変えていくことができる。

太陽光に当たっても洗剤に触れても変色することなく、何度でも好きなカラーリングを楽しむことが可能だ。

ネイル以外では牛革にも対応可能なので、バッグや靴にも応用できる。いずれはデスクやチェアなどの家具、または自動車のボディカラーにも対応可能になる。

「自分でカラーが変えられる」という付加価値が付いた家具、あるいは自動車などの商品が売られる日も、そう遠くはないだろう。

❊世界の格差をなくすのは日本の革新技術だ

こうして具体例を見ていくと、先述したように、量ではなく質を高めていく「高質再生産」の時代だという意味を実感していただけるのではないかと思う。

拡大再生産、大量消費、大量生産の「資本主義」の時代は終わったのである——。

このような素晴らしい技術を共有することで、人々がより幸せを実感できる時代、それが「共生主義」の時代である。

ただ新しい技術を採り入れようとすると、必ず「抵抗勢力」が登場する。新しい技術を事業化するということは、それが大きな変革であればあるほど、強い抵抗があるということだ。私はいくつかの経験から、それを痛いほど学んだ。

日本に眠る多くの素晴らしい技術を世界のために活かすには、その抵抗を突破しなければならない。それは、私たちのように事業化する者の使命だ。

一方で、こうした問題の解決には、行政や政治が「親」のように見守る立場にならなければいけないと考えている。

新しい技術や産業が生まれたら、衰退する産業がある。これは、過去に主なエネルギー源が石炭から石油へと移り変わっていった歴史を見ても分かるだろう。ある産業が勃興《ぼっこう》して、別の産業が衰退するのは、あらゆる社会で起こり得ることなのだ。

社会全体の幸福のためには、新しい技術を受け入れるべきなのだが、衰退していく産業に従事する人たちは、不安のために妨害に走ってしまう。生活がかかっているのだから、それも当然である。そこで行政や政治が、仕事を失う人たちを新しい産業にうまく導き、生活を保障するのだ。

現在はその導きがなく、自由勝手にさせているから、既存勢力が新しい勢力を邪魔し、せっかくの素晴らしい技術が埋もれてしまう。だからこそ、国や自治体が「親」のように振る舞い、兄弟げんかをやめさせなければならない。しかも、どちらも納得するように、である。

このように行政や政治がきちんと「親」の役割を果たせば、世界は今後一〇〇年間で、過去一〇〇年間の数倍のスピードで発展する。私はそう信じている。情報伝達のスピードやＡＩ（人工知能）の発達を考えると、当然そうなるはずだ。

すると、エネルギー、食糧、環境の問題も、すべて解決する。そして、世界各国のすべての人々が富を分かち合い、格差はなくなるだろう。

こうして格差がなくなれば争う必要がないから、戦争も起こらない。それこそが、私が目指す「共生主義」の世界である。

その先鞭《せんべん》を付けるのは、優れた技術を持つ日本。そのためのまず一歩が、世界からやってくる人々と日本が出会う「ゲートウェイ成田」プロジェクトなのだ。

❊「第四次産業革命」を起こす革新技術とは何か

近年、「第四次産業革命」という言葉を頻繁に耳にするようになった。

第一次産業革命は一八世紀末以降の水力や蒸気機関による工場の機械化、第二次産業革命は一九世紀半ばから二〇世紀初頭にかけての分業に基づく電力を使った大量生産、第三次産業革命は一九七〇年初めからのオートメーション化を指す。

では、第四次産業革命とは何を意味するのか？　ＩｏＴ（Internet of Things：あらゆるものがインターネットを通じてつながること）、ＡＩ、ロボットといった革新技術に基づく新たな経済のことである。

しかし私は、こうしたＩｏＴやＡＩなどによる産業の変化を第四次産業革命と定義することには違和感を持っている。これらは、あくまでも第三次産業革命の延長線上にあると考えるからだ。

ＩｏＴやＡＩは、第三次産業革命の中心的なテクノロジーたるコンピュータ・情報・電子・電磁技術の進歩によってもたらされるものである。すなわち、生産性は飛躍的に向上するものの、産業全体を大転換させるほどの「革命性」はないと考える。

私が考える第四次産業革命は、第一次産業である農林水産畜産業の生産性を何倍、いや何十倍にも飛躍させる技術や、原子や電子レベルで物質をコントロールし、まったく次元の違う分子や物質を作り出す技術などを生み出し、人類の抱える諸問題を解決する革命である。

そう、お気づきかと思うが、この章で紹介した技術群に類似する技術こそが、第四次産業革命を起こし得る優れた革新技術なのである。

❊「下町ロケット」を日本全土で

そのため私は、常に日本の、そして世界のためになる有望な技術を探している。自らもアンテナを張り巡らせ、また信頼できる人からの情報を得ては、喜び勇んで新技術の現場に駆けつける。

もちろん、期待はずれということも多い。しかし、何度も何度も足を運び、探し続けていると、必ず素晴らしい技術に出会える。

そして本書で私が紹介した技術は、すべて、個人の研究者、あるいは中小企業が開発したものだ。

日本の中小企業数は、総企業数に対して、九九・七％を占める。ほとんどを占めるといってもいいくらいだ。一方、従業員数で見ると、全従業員数の六八・八％を占める。この中小企業とその従業員こそが、第四次産業革命を担う。

日本は第二次世界大戦に負け、すべてを失くしたにもかかわらず、奇蹟《きせき》の復興を遂げた。日本には、自国を世界の一流国に押し上げた優れた技術力、そして真摯《しんし》で誠実な国民性がある。技術力と同時に、こうしたマンパワーこそが、これからの日本経済、いや世界経済を変えていく原動力になっていくだろう。

その中小企業の持っているポテンシャルを活かす場となるのが、「ゲートウェイ成田」だ。

「世界の人流と物流のポータル機能」を果たす「ゲートウェイ成田」には、世界からたくさんのマネーが集まる。また、優れた中小企業の技術や商品が海外に輸出される。その結果、日本経済の土台を担う中小企業の活性化につながる。

中小企業の企業所得が伸びれば、日本の全従業員数の六八・八％を占める従業員たちの個人所得も伸びる。その結果、日本社会全体の活性化につながる。

ここまで中小企業の割合が高い社会というのは、世界にもあまり例がなく、日本経済の特性といえる。最近では、この数多くの中小企業を「合理化せよ」「合併を促せ」という識者の意見もある。そのほうが日本の生産性が高まるというのだ……。

しかし私は反対だ。合理化や合併による良い面もあるだろうが、技術開発の熱量が減ってしまう可能性が高いからだ。

なにより、日本の宝は、この技術力である。要は、中小企業のまま、その技術を活かせるようにすれば良いのだ。本書の第一章には「半沢直樹」の名を冠したが、まさに日本全土で「下町ロケット」を応援したい。

我々はそのためにコンサルタント集団を作り、また、「ゲートウェイ成田」を中小企業が主役となる場とする。中小企業の活性化なくして、日本の活性化はないと確信している。

第四章　日本人みんなが大家さんになる日

※「ワーキングプア」「格差社会」「老後破産」をなくすために

第二章と第三章で、「ゲートウェイ成田」の全貌と、そこから世界に向けて送り出していく日本の素晴らしいソフトパワー、そして革新技術について紹介してきた。成田のプロジェクトがスタートした暁《あかつき》には、多くの中小企業や、そして地方の農家や漁業関係者が外需を引き寄せ、利益を上げ、地方から日本全体が活性化していくだろう。

もちろん、これだけでも日本にとって素晴らしいことだが、私にはさらにその先の狙いがある。

「プロローグ」で記したように、日本の財政状況は優良とはいえない。そして日本の「政策的経費」のなかで大きな割合を占めるのが「国民医療費」だ。

日本は国民皆保険制度が整っている素晴らしい国だが、だからこそ負担も大きい。二〇一八（平成三〇）年度の国民医療費は四三兆三九四九億円、前年度の四三兆七一〇億円に比べて三二三九億円、〇・八％の増加となっている。人口一人当たりで見ると、国民医療費は三四万三二〇〇円、前年度の三三万九九〇〇円に比べて三三〇〇円、一％の増加となっている。

超高齢社会を迎えた日本では、国民医療費が今後も増加していくことは間違いない。

一方で、税収が増えるかといえば、労働人口が減っていく「人口爆縮時代」においてはなかなか難しいだろう。少なくとも二〇二〇年以降は、コロナ禍への対策が財政悪化を招くことは間違いない。

二〇二〇年四月に実施された、国民一律一〇万円の特別定額給付金、売上が激減した個人事業者・中小法人を対象にした最大二〇〇万円の持続化給付金や家賃支援給付金、医療機関への支援など、過去最大規模の大掛かりな財政出動をせざるを得なかったからだ。

こうした状況に甘んじたまま、子どもや孫に負担を遺《のこ》すことは避けたい。私たちの世代が日本の財政ならびに経済を健全なものにしなければならない。

また国民の懐事情にも、非常に厳しいものがある。

二〇一五年の日本人一人当たりの可処分所得は年間二四五万円（中央値）となっている。「失われた二〇年」と呼ばれるが、一九九七年に比べると、なんと五二万円も下落してしまった。

そして、この中央値の半分に満たない可処分所得世帯を「相対的貧困層」と呼ぶが、その比率が、二〇一五年には一五・六％を示した。二〇一七年のＯＥＣＤの報告によれば、日米欧主要七ヵ国（Ｇ７）のうち、日本はアメリカに次いで二番目に高い比率だった。

「一億総中流」といわれた日本はいまや昔。現在、国民の経済事情を見ると、アメリカに次ぐ大きな格差が生まれてしまっている。

また次のようなデータもある。厚生労働省の「国民生活基礎調査」によれば、五〇代で「貯蓄がある」世帯は、二〇〇一年には約九〇％だったのが、二〇一六年には約八一％に下がってしまっているのだ。

私は、日本のこうした状態を、このまま放置してはいけないと考えている。「ワーキングプア」「格差社会」「老後破産」……こんな言葉ばかりが飛び交う社会は悲しい。

❄日本の国富三七〇〇兆円を倍増させる方法

重苦しいことばかり書いてしまったが、私は日本の未来に対しては決して悲観していない。日本は、ものすごい「お宝」を持っている国でもあるからだ。

たとえば日本銀行が発表する家計金融資産は、二〇二〇年一二月末時点で一九四八兆円。前年同月比で二・九％の増加となり、統計が遡及《そきゅう》できる二〇〇四年以降で最高水準となった。

このうち現金・預金の割合が五四・二％を占め、一〇五六兆円。株式等は一〇・二％で、一九八兆円。投資信託は四・〇％で、七八兆円となっている。

また、この超低金利時代においては、銀行に預けず手元に現金を置く「タンス預金」も増えているという。これは公的な統計としては表れてこないが、いくつかの推計が出されている。そして、二〇一六年に日本銀行が発表した調査報告によれば、これが約七八兆円。二〇一七年に第一生命経済研究所が発表したデータによれば、約四三兆円だ。少ないほうの四三兆円を採用するとしても、たいへんな額である。

日本銀行の調査データである、一〇五六兆円の現金・預金額を、日本の人口約一億二〇〇〇万人で割ると、一人当たり約八八〇万円……日本人は、これほどの現金・預金を持っている、世界でも類を見ない国民なのである。

勤勉でまじめ、そして安定を望む日本人の国民性がよく出ていると思う。素晴らしいことだといえる。

同様に、企業の預金ともいえる「内部留保」もまた、二〇一九年度で四七五兆円を超え、八年連続で過去最高を更新している。こちらもまた、良くも悪くも経営に対して慎重な日本人の性格が表れているといえるかもしれない。

ただ私は、こうした資産をひたすら大事に取っておくのは、非常にもったいないことだと考えている。

では、具体的にどうするのか？　日本国民が保有する現金・預金の、たとえば五％に当たる約五三兆円を「動かしていく」のだ。

いま眠っている金融資産を投資に振り向け、資産を形成していく。そうすれば、一〇倍、二〇倍、いや四〇倍に増やせる可能性が十分にある。

四〇倍になれば、一人当たりの現金・預金八八〇万円は、三億五二〇〇万円に跳ね上がる。八八〇万円では不可能でも、三億円あれば実現できることが、いろいろと出てくる。世界一周旅行、いや宇宙旅行だって実現するかもしれない。あるいは夢に描いていた家を建てる、別荘や船を持つ……わくわくしてこないだろうか。

誰でも一度くらい「もし宝くじが当たったら」などと夢想したことがあると思うが、宝くじのような確率の低い希望ではないのである。

現実的に十分実現できる――この仮定は、決して夢物語ではない。

日本経済は活性化し、すべての国民が豊かになる「共生経済」が実現する。日本の国富、現在は三七〇〇兆円と推計されているが、それを倍以上にすることもできる。

日本全体が潤う、つまり国富が倍増して経済が活性化すれば、当然、消費も伸びる。国民は余裕のある生活を楽しみ、日本文化を深め、さらに社会は良い意味で成熟していく。

そして、世界のために貢献するのだ。

――私はそんな日本を、この目で見てみたい。

その起爆剤となるのが、「ゲートウェイ成田」プロジェクトなのだ。

❊「ゲートウェイ成田」の資産価値を二兆円に

第二章と第三章でも紹介したように、「ゲートウェイ成田」プロジェクトは、日本に眠っている技術やソフトパワーを活かして外需を獲得し、また日本企業の海外進出支援をも実現するものだ。

しかし、それだけではない。国全体の資産形成を目的とした都市開発モデルでもあり、国の財政と経済をドラスティックに変えるという、その先の目的がある。

第二章で、「キャピタルゲイン」と「インカムゲイン」の説明をした。簡単にいえば、キャピタルゲインは、株式や不動産の購入価格と売却価格の差額によって得る収益のことである。一方のインカムゲインは、株式や不動産を保有しながら得られる配当または家賃の収益のこと。当然ながら、キャピタルゲインのほうがより高額になる。

ということは、「日本の国富を倍増させる」という観点からは、キャピタルゲインで実現するほうが現実的であり、一〇～一五年以内に可能となる方法である。

たとえば、Aさんが五〇〇〇万円の不動産投資を考えたとする。五〇〇〇万円で買える物件を選定していたところ、Bさんに投資用の土地物件を勧められた。

Aさんには不動産宅地開発ビジネスの才覚があり、このとき買った土地を積極的に開発し、やがて宅地の造成にまで漕ぎ着けた。開発許可も取得し、住宅の建設、様々な共有施設や公園などの建設を行った。そして公共機関も誘致していった結果、買った土地の資産価値は、一気に二〇倍に上昇したのである。

Aさんが買った、元は五〇〇〇万円の土地が、一億円の価値を持った。そうしてAさんは、その土地を買いたいという人に売却し、大きな利益を得た。

――これがキャピタルゲインである。

「そんなにうまく行くものか」と思われるかもしれないが、不動産の世界では珍しいことではない。Ａさんのストーリーは決して夢物語ではなく、現実的に実現可能なのだ。

実際に、私はこれまで不動産ビジネスのエキスパートとして、様々な物件開発はもちろん、都市の魅力創出を通じた資産形成を数多く手掛けてきた。たとえば二束三文《にそくさんもん》だった築三〇年のマンションをリノベーションして二倍の価値を持たせ、販売した。

先述したが、香川県の「高松ワシントンホテルプラザ」は六億六〇〇〇万円で購入し、全面リニューアルを施し、ホテルとしての価値を高め、二〇億円で売却している。

そして、プロローグで触れたように、「ゲートウェイ成田」のために購入した土地、そして設計費や造成工事費などに使った経費は、約一〇〇億円だ。しかし、世界的な評価会社によって、すでにこの土地の資産評価額は二・二兆円と算定されようとしている。すでに約二〇〇倍のキャピタルゲインだ。

何もなかった土地に「街」を造る計画を立て、造成している時点で二〇〇倍の資産価値を持つことになるのだが、我が社の担当者は、「この街はアメリカのシリコンバレーに近づくほどの価値を創出する」という。

※「日本版シリコンバレー」が出現する

不動産開発の分野では、宅地造成が終わった段階で、建物を建てない状態の土地を売る行為はよくあることだ。なかには開発許可を取得した段階で、造成工事もしていない「素地」という状態のまま売却することも珍しくない。

実際に二〇一九年一〇月、私が「ゲートウェイ成田」プロジェクトの開発許可を取得した段階で、譲渡を求めてきた企業があった。もちろん私には、「ゲートウェイ成田」を完成させ、外需を獲得し、日本を豊かにして「共生主義」を実現するという大きな志があったため、これには応じなかった。

しかし、もしその時点で譲渡しても、一五〇〇億～一八〇〇億円で売れたのは間違いない。この時点で、土地購入費を含めた経費は三〇億円程度。もし売却していたら、開発許可を取っただけの「素地」でも、五〇～六〇倍で売れたことになる。

そして先述の通り、二〇二〇年三月現在、「ゲートウェイ成田」の敷地は、世界的な評価会社によって資産評価額二・二兆円と算定されつつある。一方、土地の購入費、そして設計費や造成工事費などの合計は、約一〇〇億円だ。最終的には、建物や施設の建築費、システムソフト等の施設運営設備の経費を足した総工費を、約二五〇〇億円と見積もっている。

ここで、資産評価額の二・二兆円から総工費の二五〇〇億円を差し引くと、ざっと二兆円。つまり、私たちは魅力的な「街」を造ることで、約二兆円のキャピタルゲインを得ることが可能なのだ。

もちろん、そこがゴールなのではない。オープン後、「ゲートウェイ成田」の資産評価額はまだまだ上がると見込んでいる。世界中から人が集まり、富を生み出す、ポテンシャルを秘めた計画であるからだ。

というのも、「ゲートウェイ成田」には、マンガ・アニメ産業をはじめとする、日本のソフトパワー、そして優れた技術や伝統工芸などを集約させるが、こうした街の評価は、かつての例を見ても、非常に高いのだ。その好例が、先述のシリコンバレーだろう。

このシリコンバレーは、かつて目立った産業もない鄙《ひな》びた街だった。しかし、多くのIT企業が蝟集《いしゅう》することで、不動産などの資産価値が急上昇した。ゆえに、中心部からかなり離れた場所でも、ストゥーディオタイプ（ワンルーム）の部屋の家賃が、月に数十万円もする。

今後、二〇二四年に「ゲートウェイ成田」が完成しオープンすれば、資産価値はさらに上昇し、キャピタルゲインは二兆円を軽く超えていくだろう。まさに「日本版シリコンバレー」となる。

このように資産価値を上げる一方で、「ゲートウェイ成田」では、全国の特産品や伝統工芸品、そしてアニメやアートで、外需を得る。さらに、日本の企業が海外に進出し、技術や商品を多くの国々の人たちに売り出していく。

この二刀流で「ゲートウェイ成田」は日本経済の起爆剤となる——私はそう確信している。

❄日本人の総現金・預金額の五％で都市国家を造ると

国の財政が息を吹き返し、経済も活性化し、消費も伸びる。日本人すべてが余裕のある生活を楽しみ、日本文化を深め、成熟した社会を作り上げていく。そして、世界のために貢献する。国全体が豊かになり、みんながハッピーになる。……そんな日本を、私はこの目で見てみたい。

では具体的に、どうすればいいのか？　「ゲートウェイ成田」プロジェクトのような高付加価値の都市開発を、さらに大規模に行うのだ。もはやそれは街というよりも「都市国家」だといっていい。

たとえば日本政府が発行した国債、そのすべてを償還できる一一〇〇兆円くらいの国富を生み出すとする。となると、五〇兆円規模の投資によって土地を購入し、インフラ整備を行い、魅力ある街を造り、資産価値を六〇倍程度、三〇〇〇兆円にするのだ。そうして、一一〇〇兆円分の資産を売却してキャピタルゲインを得る。

あるいは、信用のある「国家」として認められたときには通貨を発行し、日本国に贈与してもいい。

かつて鄙びた漁村だった香港《ホンコン》は、イギリス統治時代には「都市国家」のような存在になった。すると、彼の地の香港上海《シャンハイ》銀行は通貨「香港ドル」を発行する銀行になった。こうした先例もある。

このようにして、日本国民には負担をかけずに、国債はきれいさっぱり償還できる。投資額の五〇兆円はどうするか？　もちろん、世界中から「この都市国家に住みたい」

という人を中心に出資者を募り、国内でも同様に募集する。ちなみに、この金額は、日本人の総現金・預金額一〇五六兆円の二〇分の一弱、まさに私が「動かしていく」といった五％に当たる。

もちろん、出資者にも配当という恩恵がある、加えて「日本という国を良くするための投資だ」という満足感と喜びがあるだろう。そう、いまこそ「日本人みんなが大家さんになる」ときなのである。

私が「ゲートウェイ成田」というプロジェクトを実現し、その先にある、さらに大規模な都市開発について語るのは、実際に飛躍的な成長を遂げた都市の存在を踏まえている。突飛なことのように思われる読者もいるだろう。しかし、そのモデルは実在しているのだ。

たとえば、中国の香港や深圳《しんせん》、そしてシンガポールである。これらの地域には、いずれも経済発展以前には特筆すべき産業も存在せず、土地も二束三文の値段であった。しかし、都市開発によって土地の価格が飛躍的に跳ね上がった、という歴史がある。

以下、順を追って紹介してみたい。

❄狭い香港の土地資産額は一〇〇〇兆円

狭い香港の土地資産額は、驚くことに、約一〇〇〇兆円といわれている。

香港の正式名称は「中華人民共和国香港特別行政区」——香港島と九龍《カオルン》半島およびその他の島々から成る、誰もが知る中国大陸の大都市だ。二〇一九年から普通選挙の実現などを求める市民運動に対して中国政府が取り締まりを強化するなど、政治的には不安定だが、世界トップクラスの金融都市として栄えていることは間違いない。

また、観光地としても人気があり、アジアをはじめとして多くの外国人を集めている。

香港が現在のような世界有数の都市に発展した理由は、金融先進国であるイギリスが統治したことにある。

一八四二年、アヘン戦争に勝利したイギリスは、清国が領有していた香港島の統治権を得たあと、一八六〇年にはアロー戦争により、九龍半島の一部の統治権を譲り受ける。このことが香港の運命の分岐点となる。

アヘン戦争以前には、広州がイギリス東インド会社のアヘン貿易の拠点となってはいたものの、香港は海辺の小さな村に過ぎなかった。

しかしイギリス統治が始まると、イギリス人が暮らしやすいよう交通網が整備され、教育機関、病院、文化施設などが建設された。都市としてのインフラが整備されるようになったのである。

また、こうして人口が増えていくと、職を求めて中国人やインド人も移住し、経済活動がさらに活発化していった。

一九四一年、香港は日本軍に占領されるものの、一九四五年の日本敗戦によってイギリス統治に復帰。香港はさらなる高度経済成長を成し遂げる。そしてアジアにおける主要な貿易港と金融センターとして、中国と海外を経済的に結ぶ拠点として富を得てきたのだ。

こうした金融業の発展によって、一九六五〜九五年まで三〇年間の香港の年間ＧＤＰ成長率の平均は、七・七％と、驚くべき高率となっている。

一九九七年、香港はイギリスから中国に返還（主権移譲）されたが、その後もアジア有数の経済都市として発展している。いまでは、不動産の資産価値も非常に高く、たとえば東京の高級住宅地・麻布エリアの同クラスのマンションと比べても価格が二倍以上という物件もある。

❄深圳は「アジアのシリコンバレー」

深圳は、中国広東《カントン》省にある世界的都市である。しかし、ほんの四〇年ほど前までは、日本でもほとんど知られていない、人口わずか三万人の小さな町だった。

その転機は、一九八〇年、中国政府が改革開放政策の一環として「深圳経済特区」に指定したことにある。深圳が経済特区に選ばれたのは、香港と隣接する地理的重要性が主な要因だろう。

この深圳には現在、「ファーウェイ」「テンセント」「比亜迪（ＢＹＤ）」といった中国の名だたる先端企業が本社を構え、「アジアのシリコンバレー」とも呼ばれる。

電子機器の製造業や、世界最大級の遺伝学研究所を擁するＢＧＩグループなどバイオテクノロジー産業も盛んで、科学技術系の大企業は上海よりも多い。その他にも、時計、アパレル、銀行、証券、保険、不動産、ホテルといった多岐にわたる有力企業が集中し、大型デパートも二十数店舗あり、活況を呈している。

また、一九九〇年には深圳証券取引所が設置され、上海証券取引所と共に外国人が投資できる株式を扱うようになった。金融センターとしても重要な都市となったのだ。

そして二〇〇七年には、中国の都市で初めて一人当たりＧＤＰが一万ドルを突破。『フォーブス』誌の二〇一九年版「世界の富豪ランキング」によれば、富裕層の「ビリオネア」（ミリオネアを超えた一〇億長者、億万長者などのこと）が世界で八番目に多い都市となっている。

その深圳の中心部には「華強北《ファーチャンベイ》」という商業エリアがある。もともとは日本の秋葉原を模して造られたそうだが、いまや秋葉原の三〇倍という世界最大の電気街に成長しているのだ。

秋葉原の家電量販店が、主に一般の個人客をターゲットにしているのに対し、「華強北」が相手にするのは、主に中国国内、さらに世界各地から買い付けに来るバイヤーたちだ。

この「華強北」の一日の集客数は、なんと三〇万～五〇万人……もはや世界最大の電気街といえるだろう。

深圳の不動産価格も、当然ながら高騰している。二〇一七年の中国国家統計局のデータによると、住宅価格が就労者の年俸の何倍かを示す年収倍率は、北京が二〇倍、上海が二五倍なのに対し、深圳は三六倍という凄まじさだ。

まだまだ成長途上の「アジアのシリコンバレー」深圳では、今後いっそう、不動産の値上がりによる資産価値の増大が進むと予想される。

❊一人当たりGDP世界八位のシンガポールの歴史

シンガポールの正式名称は、シンガポール共和国。国土は約七二〇平方キロメートルと、東京二三区と同程度である。このように面積的には小国だが、アジアのハブとも呼ばれ、国際的にも先進性の高い都市国家として知られる。

シンガポールは一四世紀まで、「テマセック」と呼ばれる小さな漁村だった。マレー半島の先端に位置していたことから様々な国の船舶が寄港したともいわれるが、経済的に栄えていたわけではない。

そして一四世紀末には、サンスクリット語で「ライオンの町」を意味する「シンガプーラ」という名称となり、現在の「シンガポール」という国名の由来となっている。

一六世紀になると、ポルトガルの侵略によってシンガプーラの町は壊滅状態となり、その後、荒廃してしまったという。そして、その後三〇〇年以上、漁民と海賊の住む寂《さび》れた漁村であった。

しかし一八一九年、イギリス東インド会社のトーマス・ラッフルズがやってくる。ラッフルズは寂れていたシンガプーラの地理的重要性に着目し、このころ島を支配していたジョホール王国から、商館建設の許可を取りつけた。そして名前も英語風にシンガポールと改め、都市化計画を進めたのだ。

続く一八二六年、シンガポールは正式にイギリスの植民地となり、無関税の自由港政策を推し進めるようになった。そうして同様にイギリスの植民地であるインドやオーストラリア、そして中国大陸などとのあいだで、アヘンや茶などを交易する中継地点として栄えた。すると、わずか五年間で人口は一万人を突破。急速に発展していったのだ。

しかし、二〇世紀に入り第二次世界大戦が勃発《ぼっぱつ》。戦後の一九五〇年代には失業率が一〇%を超え、東南アジアでも有名な貧困の都市となってしまった。

現在のシンガポールの起点となったのは、一九六五年の独立である。初代首相リー・クアンユーは強力なリーダーシップを発揮。大胆な政策を次々と実行し、急速な経済発展を遂げたシンガポールを、わずか数十年で世界の先進工業国の一つに成長させたのだ。いまやアジアの金融の中心地でもある。

シンガポールの国づくりの成功の秘訣はなんだろうか？

背景には、政府の強力な外資導入政策による経済発展を根幹に据えた国づくりがあった。政府主導で、港湾、道路、電力、工業団地などの産業インフラ整備を集中的に進め、税制上の優遇措置や、外資に対する出資比率の原則無制限化など、極めて自由度の高い政策を実施した。そうして外国資本と技術を誘致したのである。

一方で、国民は労働力を積極的に提供し、優れた製品を海外市場に輸出していった。いわゆる「国家主導型開発」と呼ばれる、小国ならではの手法で、成長を続けた。

その結果、シンガポールは、ＩＴをはじめバイオテクノロジーや金融、あるいは通信など、様々な分野でアジアの中心的な地位を築いた。

このプロセスは、日本の高度成長期とよく似ている。

二〇一〇年には、実質ＧＤＰ成長率が一五・二％と過去最高を記録。二〇一九年のシンガポールにおける一人当たりのＧＤＰは約六五二万円で、世界八位となったが、現在も政策的に税率を低くして企業や富裕層を誘致し、さらなる発展を続けている。

当然ながら、不動産の資産価値も急上昇している。

❄バブルではなかった三つの都市国家の成長過程

これら三都市の歴史を振り返ると、いずれも一昔前は、鄙びた漁村であったり、ごく普通の田舎町だったことが分かる。

それが劇的な経済成長を遂げて大都市へと変貌した背景には、必ず国家的な政策が存在する。つまり自然に発展したわけではなく、為政者が明確な意図をもって関与している、ということだ。

その結果、経済は活況を呈し、土地や家屋などの資産価値は劇的に増大している。国際都市としての歴史が浅い深圳は、まさにその過程をまざまざと見せており、おおいに参考になる。

ただの貧弱な集落に過ぎなかった地域が、莫大な資産価値を持つ世界有数の国際都市へと、飛躍を遂げているのだ。

これは、かつて日本で発生した「バブル経済」とは根本的に違うことを強調しておきたい。劇的に成長した背景に実体経済の発展があり、質実共に世界有数の経済都市へと成長したのである。

これらは夢物語などではなく、実際に起こったストーリーだ。

こうして三つの例を見れば、私が進める「ゲートウェイ成田」プロジェクト、そしてその先にある「都市国家」プロジェクトによって、「日本人みんなが大家さんになる」リアリティを感じていただけたと思う。

次章では、その「都市国家」を人工的に造る方策について述べていきたい。

第五章　世界一の街の先にある都市国家

❄「ゲートウェイ成田」はゼロカーボンの街

近年「ＳＤＧｓ」という言葉を、よく耳にするようになった。「Sustainable Development Goals（持続可能な開発目標）」の略称で、この「ＳＤＧｓ」を、全世界で目指すところとなっている。

また日本の菅義偉《すがよしひで》首相は、二〇二〇年一〇月の所信表明演説で、「二〇五〇年までに温室効果ガスの排出を全体としてゼロにする」と明言した。環境問題はもはや、世界にとって、待ったなしの課題となっているのだ。

前章で触れた、私たちが造り上げる新たな「都市国家」もまた、エネルギーを自ら生産し、ゴミもまた自ら処理する。しかも、環境には負荷を与えない「エコロジー国家」でなければならない。

私は「ゲートウェイ成田」でまず、そのモデルを確立したいと考えている。規模こそ違うが、成田でまず「エコロジー国家」を実現すれば、「都市国家」にも、この成田モデルをそのまま移行できる。第三章で紹介した、日本に眠っている様々な最先端技術を使えば、実現は十分に可能だ。

たとえばエネルギーについては、核融合による発電によって、すべてをまかなう。また、亜臨界水処理によって、一切の廃棄物を生まず、クリーン化する。

「ゲートウェイ成田」のエリアは、実は国家戦略特区となっている。国家戦略特区とは、大胆な規制緩和によって企業の投資や人才を呼び込むことで、地域経済の活性化を促し、産業の国際競争力を強化すると共に、国際的な経済活動の拠点形成を目指す、経済特区のことである。

成田市は二〇一四年、政令によって、この国家戦略特区に指定された。

国家戦略特区では、他の地域に比べ、規制改革メニューを活用した大胆な施策が可能になる。国は違うが、第四章で紹介した「深圳」は、まさにこの経済特区となって飛躍的に進化したわけである。

「ゲートウェイ成田」では国家戦略特区という強みを活かし、段階を踏みながら、様々な技術や医療を実用化し、理想的な街づくりを進めていきたいと思う。さらに、二〇二四年のオープン以後、第二次計画、第三次計画へと拡大していく可能性が高い。

雇用としては、当初、約二〇〇〇人を見込んでいるが、当然、三〇〇〇人、四〇〇〇人と増大していくだろう。プロジェクトを事業として成長させていくためには、いうまでもなく、優れた人才確保が必須である。

そのためには、魅力的な住環境づくりも大事なポイントとなる。そこで私は、「ゲートウェイ成田」周辺に、「次世代型スマートシティ」の建設を予定している。

スマートシティとは、ＩＣＴ（情報通信技術）などの最新技術を用いて課題を解決する、持続可能な都市を意味する。海外はもちろん、国内においても、こうした取り組みが始まっている。

二〇二一年初頭、トヨタ自動車が富士山の麓《ふもと》、静岡県裾野《すその》市でスタートさせた「コネクティッド・シティ」が大きな話題を呼んだ。自動運転をはじめとする次世代技術を実験し、整備が進めば、五年以内には実際に人が生活を始めるという。

その他にも、たとえば千葉県「柏《かしわ》の葉《は》スマートシティ」は、「環境共生都市」「新産業創造都市」「健康長寿都市」の三つのテーマを掲げる。これら三つの最適解を求め、千葉県や柏市、そしてＵＲ都市機構という「公」、三井不動産という「民」、千葉大学や東京大学という「学」が、連携して街づくりをしている。

この「柏の葉スマートシティ」は、地域のエネルギー運用と共に、災害時のエネルギー情報を管理する拠点だ。住宅、商業施設、オフィスなどの電力使用状況を見守り、暮らす人や働く人にとって、より効果的な省エネのための情報を配信する。また災害時には電力の融通《ゆうずう》も担う。街全体を俯瞰《ふかん》しながら、より環境に優しい街へと導くのだ。

また様々なデータも集積し、地域全体が有機的につながることで、住人たちの利便性を高め、多くの付加価値を生み出しているという。

成田の「次世代型スマートシティ」でも、第三章で紹介した発電システムやゴミ処理システムを導入し、廃棄物を出さない、そして「ゼロカーボン」の街を実現する。

また、将来的には教育施設も設立する。海外から多くの人が訪れることに伴う多文化の交流点であることを活かし、グローバルな教育を実現する。

こうした高度な医療、教育、ビジネスが一体となった、従来にない都市づくりを進めていく。これが「ゲートウェイ成田」であり、その先にある「都市国家」のモデルとなる。「ゲートウェイ成田」は、誰も手掛けなかった、本当の意味での国家的都市開発となるのだ。

❄東日本で進行する「海洋産業都市」プロジェクト

実は「ゲートウェイ成田」以外に、いま私が温めているプロジェクトがある。第二章で触れたように、鹿児島・錦江湾の埋め立てプロジェクトは、尖閣諸島問題のため取りやめになった。が、二〇一五年ごろから、東日本の某所で、大規模な都市開発計画が進行中なのである。

東日本のある島に、住民一〇万人程度の街を造るべく、関係省庁や自治体の関係者と協議し、話し合いを進めているのだ。

この街を国家戦略特区にして、海外から優秀な人才が移り住む国際都市とする。街には教育機関も作り、住民の子どもたちは、そこで多言語・多文化の教育を受ける。

この学校には、日本人の子どもも入学可能だ。現代では、首都圏を中心に、子どもをインターナショナルスクールに通わせたいというニーズは高く、そうした受け皿にもなるだろう。

さらに、この街を「海洋産業都市」にしようという構想も持っている。

日本の国土面積は世界六一位でしかない。が、領海を含めた「排他的経済水域」の面積では約四四七万平方キロメートルと、世界六位なのだ。しかも海水の体積では、なんと世界四位。これは、日本海溝をはじめとして、日本の排他的経済水域には深い海が多いことを意味する。

日本は、これだけ広大で豊かな海を持つ、「海洋大国」なのである。そんな海洋大国・日本が、積極的に世界の海を守り、環境を改善していこうとするのは、素晴らしいことだと思う。

そこで、この街を海洋大国・日本が世界の海を守るプロジェクトの拠点として、様々な研究や開発を行っていくのだ。

たとえば、植物性・動物性プランクトンの生態を研究し、それを増殖させる技術を開発する。海では、プランクトンが増えれば小魚が増え、イルカやクジラも増える。

こうしたプロジェクトを日本主導で立ち上げる。これもまた「共生主義」なのだ。

この街には、そうしたビジョンに共鳴して一緒に世界の役に立ちたいという人に住んでもらいたい。国家戦略特区の地位を得て、ビザの問題を解決したうえで、外国の方々に出資を呼びかける予定だ。

日本から見ると海外につながり、海外から見ると日本とつながる国際都市……ちょうど中国における「深圳」のような位置づけだ。

❄大都市圏の価値を高めたバブル期の不動産開発

いま世界では、実際に、多くの新都市計画が進められている。

たとえば北京《ペキン》の隣、河北省《かほく》の「雄安新区《ゆうあん》」や「中新天津生態城《てんしん》（天津エコシティ）」をはじめとする中国の街づくり、オーストラリアのシドニー新空港の建設に伴う「シドニー西部開発」、タイの高速鉄道建設に伴う「バンコク東南部開発」などだ。

いずれも、再生可能エネルギーや新交通システムなどの導入と併せて、スマートシティとしての開発が進められているのも興味深い。

日本では、海外ほど大きな規模で新都市開発はなされていないが、東京では臨海副都心、六本木ヒルズ、虎ノ門ヒルズ、丸の内エリア、あるいは千葉の幕張《まくはり》新都心などがある。様々な都市機能を付与して不動産価値が大きく高まった好例であろう。

こうした都市開発に向けた投資が積極的に行われたのは、一九八〇年代後半から九〇年前後の、いわゆる「バブル」の時代だ。その崩壊後、日本経済のダメージは大きく、マイナス面だけが強調される「バブル」の時代だが、都市開発においては、日本の大都市圏の価値を高めるのに貢献した面が多々あると思う。

このときは不動産開発を軸に巨額の資金が投じられ、未来に向けて数多くの先進的なアイデアや技術が投入されて都市の質が上がり、街の資産価値も大きく向上していったのである。

日本では、バブル崩壊後、すっかり開発アレルギーに罹《かか》ってしまったかのようだ。しかし私は、「ゲートウェイ成田」や「海洋産業都市」のプロジェクトのように、きちんとした計画のもとに開発を行っていく。こうして、必ずや日本人の生活に貢献する街を造ることを約束する。

そして、いままで私が手掛けた開発モデルのスキルをすべて集約させようというのが、五〇兆円もの巨額資金を投資する「都市国家」なのである。

❈インドネシアは「都市国家」建設の最適地か

五〇兆円を投資して造り上げる、まったく新しい「都市国家」——当然ながら、私はそこからキャピタルゲインを得ることだけを目的としているわけではない。世界の人々にとって理想の国となり、「あの国に住みたい」と思わせるような「都市国家」にしたいのだ。

この、まったく新しい「都市国家」を造り上げる計画を、「共生国」プロジェクトと呼ぼう。共和国ではなく「共生国」だ。

私がこうあるべきと考える「共生国」の理想像を紹介していこう。

サイズ的に見ると、総面積は六〇〇～一〇〇〇平方キロメートル程度。東京二三区（約六三〇平方キロメートル）、山口県山口市（約一〇二〇平方キロメートル）、和歌山県田辺市（約一〇三〇平方キロメートル）ぐらいの大きさで、人口は七〇〇万～一〇〇〇万人を想定している。実は、その立地を、私は海外に求めている。日本からさほど遠くない、発展途上国が良いだろう。

そしてそこで、六〇〇～一〇〇〇平方キロメートル程度の土地を売ってもらう。もし売ってくれないのならば、定期借地権を得る。このように借地の場合、五〇〇年間など、できる限り長期の契約のほうが良い。

ただし、このとき私が要求するのは、この敷地内の主権を付与してもらうことだ。つまり、その国から「独立」させるという条件を呑んでもらうのである。

これは魅力的なアイデアだが、国土を売る、あるいは長期間貸してくれる国などあるのか……そうした疑問を持たれる人も多いだろう。しかし、私は十分に実現可能だと思っている。

国土を売ったり借りたりした実例は、歴史上いくつもある。たとえば国土の売却としては、一八六七年、ロシア帝国が、アラスカをアメリカに七二〇万ドルで売却した例が挙げられる。

この交渉をまとめたのは、ウィリアム・スワード国務長官だが、当時、寒冷地であるアラスカを買っても役には立たないとされ、「巨大な冷蔵庫を買った」などと非難されたという。しかしその後、金鉱や豊富な資源が見つかり、また国防上も重要な場所になったので、いまとなっては高く評価されている。

また、借地としては香港の例がある。イギリスは清朝から、一八九八年、香港の面積の九割に当たる新界地区を九九年間の期限で租借した。この契約に基づいて、一九九七年、香港は中国に返還されたのである。

では、なぜ日本以外の土地に「共生国」を造るのか。その理由は三つある——。

一つ目。大きなキャピタルゲインを得るためには、物件をより安く買って、その後に高く売ることが必要だから、発展途上国のほうが有利となる。

二つ目は労働力に関して。「共生国」の住民は、基本的に世界から募集する移民を想定している。しかし、そこに産業が生まれ、経済が活性化すれば、一定の労働力が必要だ。こうした労働力を勘案した場合、若い世代の人口が多い国のほうが断然いい。

日本は世界トップクラスの長寿国だ。それは喜ぶべきことなのだが、先述したように「人口爆縮時代」に入り、その結果「超高齢社会」となっている。

日本人の平均年齢は、二〇一九年の国連のデータによれば、四八・三六歳となった。世界二位のイタリア四七・二九歳を一歳も引き離し、世界一位なのである。

また、総人口に占める六五歳以上の高齢者の割合は二八・四％（二〇一九年）と、これまた世界一位だ。そのため、活力や労働力という点から考えると、若い世代の人口が多い国に「共生国」を造りたい。

ここで東南アジアの国々の平均年齢を見ると、カンボジアとフィリピンが二四歳、マレーシアが二九歳。さらにラオスは二二歳と、圧倒的な若さを示す。

また、インドネシアの平均年齢は二八歳。人口は約二億六七〇〇万人で世界四位、そして総面積は約一九二万平方キロメートルで世界一四位だ。意外に知られていないが、アジアでは、中国、インド、カザフスタンに次ぐ広い国土を持っており、ポテンシャルにあふれる魅力的な国なのである。なにより日本と同様に海洋国家であり、また親日国でもある。

実は、私はインドネシアと深い縁を持つ。私は「空眞流《くうしんりゅう》」という空手の教士であり、六段の段位を持ち、空眞流空手道連盟の副会長も務めている。そして、この空眞流は、インドネシアでは最大の空手の流派なのだ。インドネシアの門人は、軍、警察、政府関係者を中心に、二〇〇万人を超える。

ちなみに空眞流宗家は、半世紀以上も前から、日本でいえば東京大学に匹敵するような難関・バンドン工科大学で空手を教えている。その後、教え子たちが各省庁や経済界、あるいは財界の有力者へと成長しており、その代表が、スシロ・バンバン・ユドヨノ前大統領だ。

こうした縁で私がインドネシアに強いネットワークを持つことは、かなりの強みになるのではないかと思う。あくまでも「たとえば」ではあるが、インドネシアのような国に国土の一部を売却してもらうかリースしてもらい、「共生国」を造り上げる。そして一緒に発展していく。これこそ私が推進する「共生」の思想だ。

❄世界の富裕層が目指す「共生国」

日本以外の土地に「共生国」を造る理由の三つ目、それは政治的な問題にある。「共生国」という国をゼロから造り上げるには、スピード感を持って、しかも大胆な政策を矢継ぎ早に打ち立てていかねばならない。日本でいえば国会に当たる「共生国」独自の議会で決めていくのだ。

まさに、一九六五年に独立したシンガポールのように大胆な政策を採り、国を急成長させる。こうしたことは、多くの規制に縛られている日本国内では不可能だし、少なくとも「独立」は、絶対にさせてくれないだろう。

やはり海外の、巨大な経済発展の余地がある国が良いのだ。

土地を売ってくれる、あるいは貸してくれる国を、仮にA国としよう。私たちは「共生国」とA国を、必ずウィンウィンの関係にする。

たとえば前述したように、「共生国」はエコロジー国家となる。そうして、発電技術やゴミ処理技術をはじめ、様々な最先端技術をA国にも移転し、新しい産業も興す。当然、そこには雇用も生まれるだろう。

インフラを提供し、工業ばかりではなく、農業、林業、水産業についても、生産性を高める方法を伝授する。

生産するだけでなく、加工や販売まで一貫して手掛ける「六次産業化」のノウハウも伝授する。すると国全体の経営基盤が整い、国民の所得も先進国並みに大幅アップするだろう。

「共生国」とA国が、共に発展していくのだ。資産価値は、土地を購入し、そこにまったく新しい都市国家「共生国」を造ると発表した時点で、急上昇すると予想している。

日本は高齢化や少子化、そして経済の停滞など、様々な問題に直面してはいても、穏やかな自然、安定した政治、そしてなにより安心して暮らせる治安が当たり前のように備わっている。

そんな日本人は実感が湧かないかもしれないが、自国での生活に不安を覚え、新しい国に希望を抱く人々は、世界中にあふれている。財産はごまんとあるが、安全で平和な国に移り住みたい、そう感じている各国の富裕層だ。

たとえば香港が中国に返還される直前に、多くの富裕層が国外に移住した。また、中国から国外に移住を希望する人たちも多い。その移住先としてはカナダなどが人気だという。

そこで「共生国」は、ネットで、あるいは世界中のメディアで、「新たな国に永住したい」と考える人たちを募集する。

ただし、「お金を出せば住める」という国にはしないつもりだ。国づくりに際して最も大事なことは理念であり、思想だと思う。人々が理念を共有し、共に成長していくのである。

そして、この「共生国」の理念は、もちろん「共生主義」だ。

互いに奪い合う資本主義ではなく、分かち合い、共に豊かに暮らしていく。さらに、「共生国」という一国の利益だけではなく、A国はもちろん、世界の利益をも目指して活動する。

そうすると、世界に技術革新をもたらす有能な人才が集まる。

「共生国」に直接移り住む人たち、また「共生国」に集まる人たち、そして間接的に世界中でつながる人たち、そのすべてが幸せになるよう、世界をリードする国になるのだ。

こうした理念に共感してくださる人たちが世界中から集まると、私は信じている。

❄都市国家では国民を「国主」と呼ぶ

さて、都市国家たる「共生国」と日本の関係はどうなるのか？　それは、兄弟国のような関係になる。

私は常に政治についても考えているが、現在の民主主義は、未熟なものだと見ている。特に日本では、「民主」というのに、国民が「主《あるじ》」になり切れていないからだ。

国民すべてが国の「主」すなわち「オーナー」であると、考えたことはあるだろうか？

大部分の日本人は、おそらくないのではないか。

「日本国のオーナーは誰だと思いますか？」

以前、講演で、こんな質問をしたら、ある女性が、こう答えた。

「アメリカでしょうか？」

一理あると、大笑いしてしまった。

正解はもちろん「国民」だ。憲法上「主権在民」を謳《うた》うからには、主権を持つ国民がオーナーなのである。

ところがオーナーであるのに、それぞれが責任を持たないし、情報も取ろうとしない。多数決で決めるのが民主主義なのに、「みんなが賛成だから賛成」「あの人が投票しているから私も投票する」……そんな日本人のなんと多いことか。

これでは国が良くなるわけがない。だからこそ「共生国」では、「国民」という言葉は使わないつもりだ。

そもそも「民」という漢字は、「人の目を潰して紐でつなぎ拘束している」という意味の象形文字だ。端的にいえば、奴隷を表しているのである。

このような字を使っているから、いつまで経っても人々は、「国のオーナー」としての自覚を持たないのではないか。隷属意識から抜け出せず、「主」としての誇りも責任も持てないのではないか。そう思うのだ。

だからこそ私は、「共生国」において、そこに住む人たちを「国主」と呼びたい。完全に「あるじ」として立った人々が、より良い国を造るために経済活動を行い、決議のもとに政策を決めていくのである。

「国民」を「国主」として考えると、様々に、考え方が変わっていく。たとえば、贈賄事件などで、よく「会社のためにやりました」と弁明する被疑者がいる。しかし、これは絶対におかしい話である。

というのも、その人物は会社の人間である以前に「国主」なのである。国の主として経済活動に参加しているのであり、本来は国の利益が第一のはずだ。ところが、「会社のために」と言い訳している。「国主」が他の「国主」に不利益をこうむらせてしまっては、絶対にいけないのだ。

自分はこの国の「国主」である——こう考えると、国はより良き方向に向かっていくと確信している。

❄リーマン・ショックで悟った資本主義の終焉

「共生国」となる都市国家の基本理念、すなわち「共生主義」については第二章でも説明したが、ここであらためて紹介しておきたい。

これまで当たり前だと捉えられてきた「資本主義」という経済のあり方は、もはや限界に来ているのではないかと、私は考え続けてきた。かといって、過去のソビエト連邦の失敗例を見ても、「共産主義」はあり得ない。また中国も、その経済は、事実上の資本主義である。

お金にはもともと、価値の交換といったシンプルな役割しかなかった。ところが、人々がお金を増やすことだけにフォーカスするあまり、単なる経済活動の手段でしかなかったお金が、いつのまにか「目的」へとすり替わってしまった。

そして、弱肉強食の熾烈《しれつ》な競争原理のもと、商品やサービスを生み出せば生み出すだけ儲かる、すなわち「たくさんお金を得られる」という歪《いびつ》な経済が誕生してしまったのである。

この熾烈な競争は、戦争をも生み出した。世界の歴史を振り返っても、過去の戦争の原因は、宗教を除けば、領土や資源である。

また、一部の人たちだけが巨額の富を持つようになり、絶望的な経済格差を生んだ。そして第四章で紹介したように、先進国のうちで日本は、アメリカに次ぐ「高貧困率」の国になってしまった。

私が資本主義の終焉《しゅうえん》を実感し、「このままではいけない」と強く思ったのは、二〇〇八年のリーマン・ショックのときだった。アメリカの一企業の破綻《はたん》だけで、世界中が恐慌に襲われ、実直に働いてきた人たちが、その職を奪われてしまったからである。

そして二〇一一年の東日本大震災、二〇一九年末に始まり世界を震撼《しんかん》させた新型コロナウイルス感染症のパンデミック……大きな自然災害、そして疫病の流行も、人々の心を変えつつあると感じる。

プルデンシャル ジブラルタ ファイナンシャル生命保険会社が全国の二〇～七九歳の男女二〇〇〇人に行った調査によれば、「コロナ禍を機に大事にしたいと思うようになったもの（漢字二字）」の一位は「家族」で四三四人、二位は「健康」で三九八人。「金銭」は四位にとどまり、四二人に過ぎなかった。七位に登場する「貯金」二六人と合わせても六八人であり、「家族」や「健康」には遠く及ばないのだ。

厳しい競争より、人生の充足感を求めていることが、このデータからよく分かる。

いま日本は、いや世界は、大きなパラダイムシフトの真《ま》っ只《ただ》中にあると思う。

❊奪い合うのではなく与え合うのが共生主義

では、「ポスト資本主義」とは何か？　私は、人間同士で価値を分け合う「共生主義」を提唱したい。

「共生主義」とは、自分も相手も、みなが豊かになる、つまり社会そのものを豊かにしていくという新たな価値観だ。「自分だけが儲かればいい」というような利己的な行為はあり得ない。

この「共生主義」では、資本主義のように、商品やサービスを無限に増やし続ける「拡大再生産」ではなく「高質再生産」を目指す。量ではなく、高付加価値な商品やサービスを生み出していくのだ。

そう、「共生主義」とは、「人間の創造力やアイデアを駆使して、隣人のために高付加価値な商品やサービスを生み出し、それをお互いに分配し合うことで共に繁栄する経済のありよう」である。

有限のモノの「奪い合い」ではなく、お互いが利益を得る「与え合い」の経済社会を実現するのだ。

こう書くと、「きれいごとだ」という人も多いだろう。

だが、考えてみてほしい。人間が奪い合うのは、モノや資源、そしてエネルギーに限りがあるからだ。

ただ私は、限りある資源をみなで分け合って我慢しよう、清貧であろうなどというつもりは毛頭ない。なぜなら、これまで紹介した技術によって、エネルギーも食糧も「有限」ではなくなるからだ。生み出せるようになるのだ。

素晴らしい最先端の技術によって、エネルギーを、そして資源を生み出し、「無限化」するのだ。そして、みなが豊かで幸せになる。

もちろん、有限である「地球資源」、こればかりは全人類の共有資産と考える。そのうえで、一人ひとりの役割、能力、技術を活かしながら、地球資源を活用し、人間の創造力で無限に価値を生み出し、生産された商品やサービスを自分以外の人々に分配（シェア）していこうというものだ。そして、みなの喜びもそこにある。

「共生主義」では、こうした好循環を社会に作り出し、共に生きるなかで経済が成長していくのである。

そして、その先頭に立つ国が、日本だ——。

日本国民は、世界のなかでも、とりわけ優秀な国民だと思う。技術があり、また「三方良し」のような素晴らしい思想を持つ。

まず日本が世界各国と共に生き、共に栄えるという思想のもとに行動を起こす。そして、それが世界を救う。私は、そう信じている。

❊拡大再生産ではなく高質再生産の共生主義

先述の通り、都市国家としての「共生国」と、その出資国である日本は、兄弟国のような間柄になる。

生まれたばかりの「共生国」では、ちょうど日本の高度経済成長時代、またはシンガポールの独立後の成長期のように、活発な経済活動が起こる。大恐慌期にアメリカが行ったニューディール政策のように、莫大な需要を生むだろう。

当然ながら、そのとき「ゲートウェイ成田」で実現されている様々な技術が採り入れられ、日本企業にも大きな利益をもたらす。もちろんA国にもその技術は提供され、恩恵をもたらす。また雇用が生まれ、消費は増大し、A国経済は活性化するだろう。

こうして数年後、都市国家たる「共生国」の資産価値は、香港、深圳、シンガポールのように上昇する。その結果、一部を売却するなどして、日本は一〇〇〇兆円規模の莫大な国富を得るのだ。

「共生国」とA国、そして日本……それぞれの国と国民にとっての幸せを生み出す。まさに「三方良し」であり、これこそが「共生主義」なのである。

私たちの「共生グループ」という社名からも分かるように、私は「共生」をビジネスに取り組む際のベースにしてきた。「みんなで大家さん」事業も、本質は、出資したみなさんが利益を得て、我が社もまた利益を得る、そして資産価値のある街、ホテル、建物が生まれるという「共生」なのだ。

「拡大再生産」を目指すのではなく、商品やサービスの付加価値を高める。そこに単なるモノを所有する喜びではなく、心の満足感を追求する。そのプロセスで、本当の意味での幸福感や豊かさを享受できる。それが「共生主義」のあり方なのだ。

真に価値あるものを受け取る喜びを得るために、互いに高付加価値な商品やサービスを生み出そうとする。自分が隣人のために「分配（シェア）」すると同時に、隣人も自分のために分配する。そうして、お互いが喜びと幸福を分かち合っていく循環を大事にする。これも「共生主義」だ。

私は、理想なきビジネスはあってはならない、と考えている。そして「共生主義」を実現したそのとき、私のいっていたことが単なる「理想」ではないと、みなが認めるはずだ。

私は必ずその日が来るという信念を持っている。

第六章　なぜ共生主義なのか——私の来し方

❄小学校三年から父の仕事の現場に出て

ここまで説いてきた「共生主義」――しかし、なぜ「共生主義」なのか、とよく聞かれる。

一言では語れないのだが、ただ、その原点は、私の子ども時代にある。子どものころから「なぜ人は生きるのか」とずっと考え続けてきた。そこに原点があるということは、はっきりといえる。

私は一九六六年、兵庫県神戸市に生まれた。父は建築業を営んでおり、数人の職人を使って防水工事やガスの配管工事などを請け負っていた。

小学校に入ると、私は現場に連れていかれるようになった。二年生までは、まだ現場で遊んでいるだけだったが、三年生になると、手伝いをさせられるようになる。日曜はもちろん、楽しいはずの夏休みや冬休みもずっと父の仕事を手伝うのだから、遊びたい盛りの私は嫌で嫌でたまらなかった。

しかも、父は仕事に対しては本当に厳しく、もたもたしているとどつかれたり、何かミスをすると「施主《せしゅ》のことを考えろ」と怒鳴られたりした。まだ一〇歳にもならない私にとっては、とても恐い親父《おやじ》だった。

考えてみれば、小学校低学年の私に対し、よくも父はあれほど厳しかったものだと思う。しかし、父はただ闇雲《やみくも》に怒るのではなかった。あくまでも施主のことを第一に考えていたから厳格であったのだと、いまとなってはよく理解できる。

一方で、父は多趣味でアクティブな人でもあった。夏はダイビングや水上スキー、冬はスキーへ、仲間たちと出かける。いま私が、素潜りと魚突きに熱中しているのも、「父の遺伝子」のせいなのかなと考える。

現場に出かける営業用のバンで、夏には神戸の須磨《すま》や舞子浜《まいこはま》、そして淡路島《あわじしま》まで足を延ばし、また冬には八方尾根《はっぽうおね》や志賀《しが》高原、あるいはハチ北高原《きたこうげん》などのスキー場へ、私もよく連れていってもらった。一四歳のとき、八方尾根スキー場で見た初日の出は、神々《こうごう》しいまでに美しく、いまでも忘れられない思い出となった。

初めは嫌々ながら手伝っていた父の仕事だが、それが次第に面白くなっていった。工務店や出入り業者のおじさんが、父に対し「いい息子を持ってるな」「一人前やなあ」などと褒《ほ》めてくれる。私はそんな場面をそっと目の隅に捉えながら、「大人と対等に仕事ができるのだ」という自信と誇りを持つようになっていった。

ただし、父の仕事を継ごうとは一度も思わなかった。父は建築の仕事を会社組織にしようともせず、「手広く仕事がしたい」とも考えない職人肌であり、棟梁《とうりょう》タイプだったのだろう。対して私は、父の手伝いを面白く思いながらも、別の何かで「でかいことをしよう」と考える子どもだった。

❊「なぜ自分は存在するのか」と考え続けた子ども時代

私は、少し変わった子どもだったと思う。

五歳のころから、「なぜこの世界が存在しているのか」「人間はなぜ存在しているのか、そして存在とはどういうことなのか」といった疑問をひたすら考え続けてきたのだ。不思議で不思議でたまらなかった。さらに、「人生の目的とは何なのか」「神は存在するのか」についても考えた。

両親や学校の先生がそうしたテーマを想起させたというわけでもなく、何かの本を読んだせいでもなかった。また、不思議と誰かにその疑問をぶつけることもなかった。私は、ただひたすら自問し続けたのである。

祖先をたどってみると、柳瀬家のルーツは岐阜藩家老の家系だとされる。清和《せいわ》源氏の流れを汲む武家だったといい、家系図には明智光秀《あけちみつひで》の名前もある。姓の「柳瀬」をもともとは「やながせ」と読んでおり、岐阜県には「柳ケ瀬」という地名が残っている。

また父の母、すなわち私の祖母は、長崎県の五島列島にある寺の出身だった。祖母の兄弟にはアメリカに渡った人がおり、日本に帰ってきてからメソジスト派の牧師になった。そしてその後、上海《シャンハイ》の教会の牧師として赴任したという。その教会には、かの蔣介石《しょうかいせき》も訪れたという話を聞いたことがある。

祖先のせいにするとすれば、私の思考回路は、寺の息子でありながら牧師になり、上海に渡った、その大叔父あたりに似たのだろうか。

ただし、母は熱心な仏教徒で、子どものころは私も、仏壇の前に座らされて一緒にお経《きょう》を上げていた。

しかし仏教は、いま生きているという「結果」を前提に説く宗教である。なぜ世界が存在し、そこにどんな意味があるのか、そうした本質的なことは説かない。そもそも、「なぜ自分が存在するのか」「生まれてきた意味はあるのか」という私の根源的な問いを、解決してくれないのである。

仏教は、何も答えを出してくれなかった。ただし、信者同士が互助会のように助け合うという効用は、もちろん大きいと思う。戦後、日本が共産化しなかったのは、様々な新宗教が興り、信者同士が助け合い、苦しい生活の支えになったからだという説もある。

しかし私は、「弱い人が頼るものが宗教だ」と感じるようになり、それが嫌いになった。

❊自殺を図ろうとした一四歳の日に悟ったこと

「なぜ自分が存在するのか」「生きている意味はあるのか」ということをひたすら考えても、答えは出ない。すると次第に、人生の価値が分からなくなってしまった。

手伝っていた父の仕事もうまくこなせるようになったし、学校の勉強もできる。私は自信家だったのか、将来の人生においても成功する自信はあった。

ただし、生きていることにさえ意味が見出せないのだから、成功するということにも意味は見出せない。こんなことばかり考えていると、無邪気に遊んでいる周りの友だちが、子どものように見えた。

「成功して何の意味があるのか？」

人生の価値が分からない。すると、心のなかで「じゃあ生きている意味はあるのか？」とささやく奴がいる。沈黙する私に、さらに「死ぬことから逃げるのか？」と追い打ちをかける。

食糧難が訪れると叫ばれていた当時、「一人くらい死んだほうがいいだろう」と、死を正当化する自分もいた。「死ぬのか、生きるのか」——自分の心のなかで葛藤《かっとう》する。自分で自分を追い詰め、また追い詰められていった。

一四歳だった。

ある日、どうやって死のうかと本気で考えた。自宅の二階からジャンプして頭から飛び降りたら死ねるだろうか、あの崖まで行ったほうがいいだろうか……。

窓辺に行って夕陽を見た記憶があるから、夕方だったのだろう。ここから飛び降りれば死ねるかもしれない。しかし——。

「いま死んだとすれば、私の人生の価値はなんだったのだろう」

飛び降りようと決意したと同時に、そう考えた。瞬間、私のなかで何かが起こった。言葉では説明できない、私のなかの心的現象としかいいようがないが。

「いま私はいったん死んだ。だったら、あとの人生は人のために役立てよう。人のために生きるのだ」

一瞬だった。五歳のころから九年間、ひたすら考え、悩み続けてきたことが、突然吹っ切れた。心が軽くなり、もやもやとしていた頭のなかがスッキリと晴れたような気がする。本当に、いったん死んで、生まれ変わったようであった。

以来、どんなに困難なときでも「死」を考えたことは一度もない。一四歳のあの日から、私はひたすら人生を「人のために役立てるもの」と考えて生きてきた。

「共生主義」の芽が、この一四歳の日に生まれたのである。それ以来、人のために役立つことを最優先に考えて生きてきた。

※東大を目指す前に入隊した自衛隊で

その後、公立高校へと進み、大学進学を考えた。自信家の私は、「行くなら東京大学しかない」と思っていた。しかし、受験勉強にも意味を感じられないうえに、学費を親に頼るのは絶対に嫌だった。自立願望が強かったのである。そこで、「自分でお金を貯めてから大学に行こう」と考えたのだ。

であれば、一番いいのは自衛隊だ。二年間と決めて、入隊。陸上自衛隊大津《おおつ》駐屯地教育隊の教育期間を終えたあと、千葉県の下志津《しもしづ》駐屯地でさらに三ヵ月の専門教育を受けた。下志津には、高射学校とそれを支援する隊があった。高射とはミサイルのことで、高射学校とは、その研究開発をする機関である。

教育隊には二一〇名ほどの同期がいたが、朝の点呼ではいつも私が一番だった。起床ラッパで目を覚ますと、素早く身支度を整え、上官のところまで走る。私の部屋は二階だったので、階段を下りるぶん一階の隊員よりも不利だったのだが、一度も負けたことはなかった。

やるからには力を尽くしてやる性格だ。自衛隊でも成績は良かった。子どものころ父の仕事を手伝って、仕事への自信を付けた。そして自衛隊の二年間で、さらにその自信を確固たるものにした。

どのような場所に置かれても、どんな危機のもとでも、人は自分自身を磨くことができるのだ——私はそう実感した。

自衛隊での生活は、私にとって平安そのものだった。世の中では、分からないことがあると不安になる。自衛隊には、そうしたものから完全にガードされた生活が待っていた。すべきことさえ実行していれば心は平安であり、安全で楽しく、仲間もたくさんできた。

しかし、そこに安住してはいられなかった。私には目指すものがあったからだ。

私は、子どものころから、人生について、命について考え、考え抜き、一四歳で「人のために生きよう」と決意した。二〇歳ごろには、もう明確に「共生」というビジョンをまとめようと考えていた。しかし、それが机上の空論になってしまってはいけない。

私は、実際に社会に出て、経済を実体験しようと決めた。

※京都の街金で受けた罵声

予定通り、二年で自衛隊を辞め、私は大阪のある商社に勤めた。さらに三～四年後、商社時代のつながりで、ある派閥の領袖《りょうしゅう》だった大物政治家の秘書を務めた人の事務所に入ることになった。当時三〇代だったその人物が、国政に打って出ようとしていたのである。

私は二三～二四歳、大学に進学していればちょうど卒業したくらいの年齢に当たる。

一〇代のころから、高齢化社会や食糧危機について考えていた私にとって、経済と共に政治もまた興味のある世界だった。

その人物が衆議院選挙に出馬するに当たって、私は秘書として後援会づくりを担当した。選挙区内の地元の議員、経営者、あらゆる人に会って後援をお願いする。

電気工事会社のA社を経営する五〇代の社長も、その一人だった。私が日参してお願いすると、快く後援会を作ってくださり、私は恩義を感じていた。

ある日、A社の社長の奥さんから電話がかかってきた。

「助けてください！　主人が拉致《らち》されました」

「何があったんですか？」

どうやら、あまり筋の良くない人たちに連れていかれたらしい。私は、慌ててそちらの方面に顔が利《き》きそうな友人に連絡を取ったうえで、駆け付けた。

すると、すでに社長は無事、自宅に戻っているではないか。拍子抜けしたが、事情を聞くと、A社はいわゆる「街金《まちきん》」からかなりの借金があるという。拉致してみせた行為は街金業者たちの脅しであり、早急に「三〇〇〇万円を返さねばならない」という。

「なんとかしなければ」と思った。後援会を作ってくれた恩のあるその人物が、おそらく放っておけば殺されてしまう……。

私は知人に連帯保証人になってもらうなどしてお金を工面《くめん》し、なんとか三〇〇〇万円を調達して切り抜けた。しかし、A社の借金はそれだけではなく、実際はさらに膨大なものだったのである。

いま思えば、私には何の責任もなく、手を引いても良かったのだが、すでに周りを巻き込んでいた。知人に連帯保証人になってもらったり、また当時働いていた事務所からもお金を融通してもらったりしている……後には引けない状態だった。

そのときから一年半か二年くらいは、A社にかかりきりになったと思う。私が資金繰りまでするようになったのだ。

あるときは、京都まで、借りた一四〇〇万円を返しに行った。社長はもう心が弱っており、貸し主に会うのを嫌がって、結果、私が返しに行く羽目《はめ》になったのだ。同じようにA社の借金返済に協力してくれていた、当時五〇代の会計士の女性も一緒だった。

「すみません、A社ですが、お金を……」と私が声をかけると、奥のほうで怒鳴り声がする。いきなり「帰れっ！」といっているようだ。お金を返しに来たのではなく、期限を延ばしてもらうために来たと思ったのだろうか。そんな人がたくさんいるのだろう。

私は、「お金を返しに来たのに、『帰れ』はないでしょう」といって返金し、無事、書面をもらうことができた。そんなことばかりやっていた。

❊社長が逃げて三億円を被る

現在に至り、なぜ当時はそこまで入れ込んでいたのかと思うのだが、若い私は必死だった。

A社が出している事業計画書はでたらめで、まったく売上が立たない。手形は回ってくる。これを不渡りにしたら潰れてしまう……。

あるとき社長に、「このままでは倒産してしまいます。事業計画を立て直してください」と進言すると、「ドライビングシアターはどうだろうか」などという。

「ドライビングシアター」とは、当時はやっていた、駐車場に車を停めて、車内から映画を観る施設だ。では、やってみようということになり、土地の確保から始め、どれくらいの予算が必要か、機器のリースをどうするのかなどと計画を練っていくと、一億数千万円が必要だということになった。

そうして資金調達に駆け回り、会計士の女性にリースの連帯保証人になってもらったりと奮闘し、なんとかオープンに漕ぎ着けた。が、まったくお客さんは入らない。

私と会計士の女性が、またもやなんとかしなければと焦《あせ》っているうちに、なんと社長は自己破産してしまった。会社が破産、そして社長個人も破産だから、連帯保証人の会計士の女性のところにその債務が来る。社長一家は、夜逃げしていた……。

結局、私は三億円くらいを被《かぶ》っていた。名目上は会計士の女性の債務だが、責任は私が持った。

当時の私を動かしていたのは、善意と正義感だった。のちのち経験を積んだあとになって考えると、なんとバカなことをしたのかと思う。事業計画書も財務もめちゃくちゃで、なにより社長に覚悟がないA社を助けるべきではなかった。

のちに分かったことだが、社長は人の土地を勝手に抵当に入れて借金をするという、「地面師」のような罪も犯していた。だからこそ、あそこまで追い込まれていたのだ。当時の私には良い人物に見えたが、かなりの悪人だったのである。

ただ、私の心のなかには、「ここで負けたら、将来の成功はあり得ない」という確固たる思いがあった。

そして、私の生きるポリシーが確立された。人を騙《だま》すようなら、むしろ騙されたほうがいい。自分から人を裏切らない、人から奪わない、人を大事にしよう――。

振り返れば、やはりあの苦境を乗り切ったからこそ、現在の自分があると思っている。

❈領収書なしの一億円を要求する地主に対し

私は、先述の女性会計士と共に新しく事業を始めた。二六歳のときのことである。

これが私の会社経営の始まり。大きな負の遺産を背負った、マイナスからのスタートだ。いつか自らの事業を始めようと考えてはいたが、巻き込まれて債務を背負ったスタートとなってしまった。

三億円の債務を背負っているのだから、必死などという生やさしいものではない。朝の六時から夜中の二時くらいまで働いた。その合間にも、高利貸しは容赦なく取り立てにやってくる。毎日がギリギリの生活で、断崖絶壁《だんがいぜっぺき》を歩いているようなものだった。

その事業内容は、財産コンサルティングと不動産業。初めての取引は忘れもしない大阪府豊中《とよなか》市の土地だった。

大阪内環状線と大阪国際空港線という、二本の幹線道路が交差する地点に、いわく付きの土地があった。一三〇〇坪という広さのその土地に、隣接する小さい三角形の土地がある。少々ややこしいので、一三〇〇坪の土地をD、三角形の土地をEとしよう。

あるとき、土地E側のあぜ道が広大な土地Dをいつのまにか侵蝕していたとして、裁判になった。裁判では、Eの地主が敗訴した。この時点で勝ったほうのDの地主がきちんと測量し、地積更正登記をしておけば問題はなかったのだが、しないままに時間が経ってしまった。結果、その二つの土地の境界線は、あいまいになったたままだった。

私は後援会のつながりのおかげで大阪に人脈があり、豊中市の地元密着型の不動産業者からその情報を得た。広いほうの土地Dの地主が半分を売りたがっている。相続のため、その代金で相続税を納めなければならないのだという。しかし、その境界問題がある限り売るに売れない。物納もできないというわけだ。

その話を聞き、私は即決で「その問題を解決します」と宣言した。三億円の借金を背負っているのである、とにかく稼がなければならなかった。

当時の相場で、その土地は坪単価二〇〇万円。半分の六五〇坪を売ると一三億円の取引だ。手数料三%としても、四〇〇〇万円の利益になる。

地元の不動産業者としても困り果てていたのだろう、私の申し出に、社長が「よし、やってくれ」と即答した。

私は早速、土地Eの地主に会いに行った。フランチャイズのコンビニエンスストアのオーナーだった。

すると「何しに来たんだ！」と、初めから喧嘩腰《けんかごし》である。

「境界のことで来ました。土地取引をしたいので、境界を確定させたいんです」

私は相手の喧嘩腰のペースに乗らないように、落ち着いて話し出した。

「お前みたいな奴がたくさん来たよ。ここに五〇万円積め。そしたら話を聞いてやる」

五〇万円!?　そのとき、なぜ不動産業者が私にあっさりと任せたかが腑《ふ》に落ちた。自分たちでなんとかなるような相手なら、私のような若造に二つ返事で任せないだろう。何度も交渉したが、手に負えず、いわば賭けのような気持ちで私に託したに違いない。

しかし、そんな泣き言をいっている場合ではない。後悔しているいとまもなかった。相手を落ち着かせようと、「なんとか解決してもらえないでしょうか」と粘った。一時間、あるいは二時間も、その場にいただろうか。

すると、Eの地主は、「だったら一億円を持ってこい」と言い出した。しかも「現金、

B勘で」という。「B勘」とは、業界用語で「領収書なし」のこと。通常の商取引ではまず無理である。尋常ではない地主だった。

普通はここで諦《あきら》めるところだろう。地主も、てっきり私がそこで退散すると思っていたに違いない。しかし、私は「シメた」と思った。

「一億円、B勘ですね、OKです」

実は私には、土地Dの買い手に当てがあった。あるパチンコチェーンの社長に、この土地の話をしたところ、「ぜひ欲しい」といっていたのだ。二本の環状線の交差点であり、パチンコ店の立地としては最高だ。

「あの社長なら一億円くらいなんとかするだろう」――そう思っていた。

さらに土地Eの地主は、「自分たちの主張する境界線で確定させろ」とまで言い出してきた。裁判で土地Eの地主は敗《ま》けているのだから、本来ならこんなに強く出られる筋合いではない。しかし、境界をはっきりさせていなかった土地Dの地主の落ち度もある。どうしようもない。

しかし土地Dは、どちらにしろ売るしかないのだから、要はお金の問題なのだ。買い手となるパチンコチェーンの社長さえ、結果として代金が高くなることに納得すれば、解決することだ。

土地Dの地主にすれば「裁判では勝っているのに」という理不尽《りふじん》な思いはあるだろうが、売れなければどうしようもない。納税の期限までは、残り一〇ヵ月。もう一度、訴訟をしている時間はなかった。

私は、その土地を欲しいといっていたパチンコチェーンの社長に早速、会いに行った。そして「行ってきました、話を付けてきました」と、報告した。社長は嬉しげに部屋に入ってきて、さあ椅子に座ろうとしているとき、私は境界線解決の条件を付けくわえた。

「境界を確定するのに、印鑑料一億円。しかもB勘です」

社長は見事にのけぞった。そして、のけぞったまま、後ずさりして、部屋を出ていってしまった。マンガのようだったが、本当の話である。

❄成功報酬を渋るパチンコチェーン社長に対して使った手は

私は若いし経験もなく、何も分かっていなかった。このパチンコチェーンは経済力も資本力も問題ないと思い、「一億円で済むなら喜ぶだろう」くらいに思っていたのだ。しかし、それは受け入れられず、この話はふっ飛んでしまった。

慌てて他を探すと、不動産業者ルートで、別の買い手が現れた。やはりパチンコチェーンの社長だった。

しかし、「一億円」の条件を話すと、「なんで俺たちがその金を払わなきゃいけないんや」という。

たしかに、一億円を負担したうえに、三角の土地の地主の主張通りの境界にするから、本来よりも狭くなり、代金が実質的に高くなる。その分の代金を買い手が被るわけだ。そういいたくなる気持ちは分かるが、私としては何が何でも成立させたい。相手だって、境界問題さえ解決すれば、こんな条件の良い土地は絶対に欲しいはずだ。

「だったら買わんでええですわ」

もうここまで来たら、強気で行くしかないと思っていた。

そう言い放ってじっと答えを待つと、「分かった」という答えが返ってきた。ただし、「一億円は出すが、B勘は無理」と言い張る。そこで、私は一計を案じた――。

もう時効だからいうが、私が赤字の会社を用意して、その会社を取引に参加させ、会社から領収書を発行させる形にしたのだ。その手数料として、我が社が二〇〇〇万円の報酬を受け取るということも確定させた。

ところが、その買い手は、いざとなると、あれこれと理由をつけて二〇〇〇万円を払おうとしない。一筆書いていなかったことも、相手を強気にさせた。

そこで私は、その本社に単身で乗り込んだ。そこで付き合いのある大物政治家の名前を出すと、相手はおののいた。そして、私は「そんな話が許されるか」と、バーンと机を叩いたのだ。

約束したことを平気で破る、弱い相手には強く出る、この人物のそういう姿勢が許せなかった。その場で二〇〇〇万円の小切手を書かせた。

結局、この初取引では、仲介手数料と合せて三九〇〇万円を稼いだ。

こんなにも難物の案件が、初取引だったからかもしれない。第二章に出てきた、一筋縄ではいかない人たちが違法に住み着いた土地、権利が入り組んだ土地など、私は取引不可能だなどとは、まったく思わないのである。無理だと思ったことは一度もない。

条件が困難だとしても諦めない精神、それが不動産業者として絶対に必要な資質だと思っている。

❄五年間で三億の負債を返済し五億の資産を築いた手法

財産コンサルティング部門では、六年近くで、課税評価額で二〇億円くらいの資産家の案件を、二〇件ほど請け負った。相続税の節税対策を提案するのだが、マンションやビルを持ってもらうという手法だった。相続税の節税と収益向上対策ということで、不動産投資をしてもらうのだ。

このとき買ってもらうのは、坪単価の高い二〇〇平方メートル以下の小規模宅地、評価減が適用される土地だ。坪単価が一〇〇万円の土地よりも、坪単価五〇〇万円の土地のほうが、五倍も相続税の評価減が可能になるからだ。

当時はバブルが崩壊したあとだったので、それまでなら買えなかった一等地が買えた。大阪でいえば、地下鉄駅の出口から上がってすぐというような好立地である。

そうした坪単価の高い条件の良い土地を買っていただき、単身者向けのワンルームマンションなどを建てる。収益率の良い物件を持っていただくのである。年利回りでいうと、だいたい製造原価に対してネット九％、投資家の投資額に対してネット七％くらいだ。

このとき土地を安く仕入れ、質を落とさずに建築費を圧縮するのがコツだった。

当時から銀行ローンの金利は安かった。三〇年ローンを組んでも、ワンルームマンションからの家賃収入があるので、手元にはキャッシュが残るという仕組みだ。この時期に買っていただいたお客様は、そろそろローン返済が終わるころなので、収益の上がる良い資産を作ってもらったと自負している。

こうした事業をしていると、不動産会社が必要になった。建設会社もあったほうがいいということで立ち上げ、これらの会社の代表を務めた。

このころの生活は、まさに早朝から夜中まで働きづめであり、凄まじいものだった。しかし、あの数年の厳しくも濃密な経験が、一般的な社会人の二〇～三〇年の経験にも相当したと思っている。

厳しい条件からも決して逃げない。そして諦めなかった。そしてその結果、およそ五年間で三億円を返済した。加えて、さらに五億円ほどの資産を築くことができたのである。

また社員は、事務員一人から、すでに二〇人くらいにまで増えていた。

倒産に巻き込まれた挙げ句、三億円という莫大な負債を背負った、マイナスからの経営スタートだったが、この経験が、現在の自分にとっての一番大きな礎《いしずえ》となっていると、私は断言できる。

※「みんなで大家さん」の原点になった物件

Ａ社の借金返済を手伝っていたころからの会計士の女性ビジネスパートナーと別れ、独立したのが、一九九七年のことだった。コンサルティング会社の都市綜合計画研究所を立ち上げ、翌年、不動産開発会社の都市綜研インベストバンクを設立、そうして不動産証券化事業をスタートさせた。

私が当時から不動産の「証券化」に興味を持っていたのはなぜか？

一九九〇年代、日本では、近い将来、総人口の「四人に一人」さらに「三人に一人」を高齢者が占める社会になるという問題が叫ばれていた。高齢化の進んだ社会を迎える日本において、賦課方式の日本の年金では、将来的にどうなるかも分からない。一生懸命に働いてきた高齢者が、経済的な不安を抱えて生きる社会で良いはずがない。

二〇歳ぐらいから「共生主義」を考えていた私は、高齢者が安心して暮らせる経済基盤が必要だと考えた。

私たちの事業は、当初、資産家向けの不動産開発がメイン事業だった。条件の良い土地を買い、収益性の高いビルやマンションを建て、倍々で利益を出していった。これと同じように、一般の方々の老後の資産づくりが必要だと考えていた。

そして、不動産開発に小口で出資できる不動産証券化なら、一般の人たちも参加できる——そう構想したのだ。

こうして一九九八年から準備を開始して、一九九九年、不動産証券化事業（ファンド型）に乗り出した。東大阪市の近鉄大阪線長瀬《ながせ》駅の近くの土地を買って、マクドナルドの店舗を証券化した。この案件が第一号である。

このときは総額一億二〇〇〇万円、一口一〇〇万円、利回り五％で募集をかけた。法的スキームは違うのだが、これは「みんなで大家さん」の前哨戦であり、原型ともいえる。日本国内の不動産証券化商品としてはかなり早い部類に入り、二～三番目くらいに出せたと思う。

さて、いよいよ温め続けてきた不動産証券化商品第一号の発売だ。ところが募集をかけても、まったく応募がない。銀行金利が一％もない時代に利回り五％という募集なのだから魅力はあるはずなのだが、信用してもらえないのだ。

いま思えば当然である。マンションや家を建てて販売するのであれば、現実にその「商品」を見て、お金を払うのだから、納得しやすい。開業一年目でも、良いものさえ造れば売れた。

しかし「不動産証券化」というのは「投資」であり、「金融」の世界なのである。「信用」がなければやっていけないのだと、三〇歳そこそこの若造だった私は痛感したのだった。であれば、最初は私という人間をすでに知っており、信頼してくれる人たちに当たるしかない、と考えを切り替えた。その結果、取引先などに出資していただいて、第一号商品がスタートした。

結果的に、利回り五％で配当すると、みなさんは「こんなにいただいていいんですか」と、感謝してくださった。

出資者のみなさんが喜んでくださり、私もおおいに助かった。そして、テナントであるマクドナルドも繁盛していた。「三方良し」のこの体験が、「みんなで大家さん」の原点なのである。

不動産証券化およびファンドの事業は、その後、業績を伸ばし、累計で四五〇億円を超えた。

❄シニアが自立し尊厳を保った暮らしを

二〇〇六年、不動産特定共同事業法（不特法）の出資額基準が一口五〇〇万円から改定され、一〇〇万円からでも可能になると、二〇〇七年、私は申請を出して東京都知事の認可を取得した。こうして、不特法に基づいた「みんなで大家さん」事業がスタートした。

ところが、翌二〇〇八年に、一〇〇年に一度の金融クラッシュが起きた。リーマン・ショックである。我が社も当然ながら大きな打撃を受け、いくつかの物件を手放し、事業をストップせざるを得なくなった。その一つが、シニアリビング事業だ。

日本では、高齢者になると、家庭で家族に面倒を見てもらう、または老人ホームに入るという考え方が一般的だった。しかし私は、年を取ってからも、自立し、個人の尊厳を保って生活を楽しめる住居があっても良いのではないかと考えた。それがシニアリビング事業を始めた動機だった。

第一号として、二〇〇三年、東京都の狛江《こまえ》市に「インディペンデンスヴィレッジ成城西」を完成させた。六七戸の定期借地権付き分譲マンション。各戸のほかに、共有スペー

緑あふれる「インディペンデンスヴィレッジ成城西」

スとしてレストラン、大浴場、フィットネスルーム、日本庭園まである。そのうえ定期的に、パーティ、雛祭《ひなまつ》り、夏祭り、落語会などのイベントを開催。住民の方々の様々なサークル活動も活発に行われている。

ここでは常駐しているスタッフが、医療機関への送迎をはじめ各種手続きなどのサポートをしてくれる。もし将来的に医療や介護が必要になったら、地域医療や訪問介護を採り入れれば良い。

この「インディペンデンスヴィレッジ成城西」が、一般のケア付きマンションと決定的に違うところがある。それは、マンションの管理・運営が、すべて自主運営に任されているという点である。

まず、住民たちが管理組合を作り、理事を決める。自分たちが主体となって、自立と尊厳を保ちながら、予算やルールを決めて運営していくのだ。

たとえば食事の提供について、老人ホームやケア付きマンションでは、民間業者に入ってもらうところがほとんどだろう。しかし、業者は企業として利益を出さなければならないから、限られた予算内でやりくりすると、どうしても食事の質が落ちてしまう。

そこで「インディペンデンスヴィレッジ成城西」では、管理組合が直接、レストランを運営することにした。管理栄養士や調理師らスタッフも直接雇用する。だから、予算はすべてガラス張りで、もし余剰金が出たら管理組合の利益になる。利益を出さなくても良いぶん、食材の質を高められるという仕組みだ。

毎日の生活において大切なのは、なんといっても「食」だろう。専属の管理栄養士や調理師がおり、自分で作らなくても、プロが作ってくれる美味しい食事をいただける。もちろん各部屋にキッチンがあるから自分で作っても良いし、外食に出かけるのも自由だ。食費は、摂った食事のぶんだけ支払うようになっている。

毎日食べるものだからこそ、飾らない、飽きの来ない食事を出さなければならない。私も食べたことがあるが、家庭的な、本当に優しく美味しい「おウチのごはん」だった。四季折々の旬の食材を使った料理、お正月にはお節《せち》料理、その他、雛祭り、七夕、節分といった行事食も用意してくれる。

入居した方々は「家にいるのと同じように元気に過ごせる」といってくれる。いや、それどころか「家にいるときより元気になった」という入居者の方々も多いのである。入居者同士の交流も元気の素《もと》なのだろうか。

※有名作家の奥様が述べた感動の言葉

オープン以来二〇年近く、このシステムで運営しているが、問題はまったくない。当然、入居者からの評判も高い。

比較的に元気でアクティブな高齢者を対象としているが、入居者の年代は限定してはいない。若い方々の入居も、単身での入居もＯＫだ。

オープン当初、五〇代くらいの大学教授の女性が単身で購入し、長く入居なさっていた。彼女は、「研究を最優先にしたい」という希望があり、食事の心配もなく、将来的に一人で安心して暮らせる「インディペンデンスヴィレッジ成城西」を選択したのだった。

また、あるとき八〇代くらいの上品な女性が見学にみえて、こういってくださった。

「私がこういうところに入居するとしたら、あなたのコンセプトに賛同したということなのです」と――。

結局、諸事情でその方は入居されなかったが、この言葉は本当に嬉しかった。あとで知ったことだが、著名な作家の奥様だったということだ。

この方をはじめ、「インディペンデンスヴィレッジ成城西」のコンセプトに賛同してくださる方々は多く、力づけられた。

この事業もまた、「共生主義」の体現なのである。誰かに頼るのではなく、それぞれが自立と尊厳を持って、よりよく生きる。しかし、困ったときや必要なときは助け合える環境がある。お互いに支え合い、誰かの役に立つことを喜びに感じ、それが幸せへとつながる。まさに「共生社会」だ。

このシニアリビング事業は、全国展開するつもりで計画を立てていた。モデルとして建てた狛江市の物件は全六七戸だったが、もう少し大規模なほうが運営上の効率が良い。そのため、二〇〇～四〇〇戸くらいの規模の計画が三ヵ所で進んでいたのだが、リーマン・ショックで断念せざるを得なくなった。

第一章で紹介した巣鴨の物件も、実はシニアリビング事業だった。いまでも本当に残念だ。

しかし、一件目の「インディペンデンスヴィレッジ成城西」では、いまも多くの方々が生活を楽しみ、心地よく暮らしてくださっている。このことは、私としても嬉しい限りだ。高齢化が進む今後、このシニアリビング事業を、形を変えて大きく展開していくことも考えている。

※元副社長にかすめ取られた六〇億円の教訓

ところで私が三〇年ほど事業を続けてきて、裏切られたことも一度や二度ではない。初めての取引でも起こったように、顧客がお金を払うといって払わないことは珍しくないが、やはり一番しんどいのは、身内の裏切りだ。

二〇〇七年、私はある飲食チェーン企業H社を譲り受けた。H社は上場企業であり、その株を三〇％超保有し、経営権も持った。私はその後、上場コンサルティング業の「日本ＬＣＡ」の経営も任されることになり、二社をマネジメントするのは難しいと考えた。そこで、H社の経営を、当時副社長だったYに任せることにしたのだ。

Yはもともと我が社のコンサルティング部門の社内税理士だった人物であり、このころはまだ四〇歳前だった。私はYの能力を見込んでおり、期待もしていた。H社の経営が、Yの良い経験になればと思い、「勉強してこい」と声をかけて送り出したのである。

H社は、東京・日本橋人形町《にんぎょうちょう》に自社ビルを持っていた。このビルの評価額は一一億円くらいだったが、当時はちょうど三井不動産が日本橋エリアを再開発している時期で、将来的に資産価値はさらに上がるだろうと見込んでいた。そして、三井不動産が、このビルを欲しがるのではないかという予想もあった。

すると案《あん》の定《じょう》、三井不動産の代理人がやってくる。そして、「あと出しジャンケンなしでいってくれ」というではないか。つまり、言い値で買うということだ。このときは、私が再開発計画を読み込んで相手の付加価値を計算して「三一億円」というと、そのまま通った。

この三一億円も加え、H社の資産は、この時点で六〇億円ほどあったはずである。

その後、あのリーマン・ショックが日本を襲った。すると、Yの動きが怪しくなってきた。H社の経営権は我が社が握っているが、決して代表Y個人のものではない。だが、勝手に投資を始めたあとに、増資といってダミーの会社に株を持たせた。こうしてH社の支配権を、巧みに個人として得たのである。

結果、H社の六〇億円もの資産は、我がグループのものではなくなってしまった。

そのことが明るみに出たのち、私は一切、Yとは会っていない。裏切られたショックは大きかったが、責めたいという気持ちも、もはやなかった。

その後、Yの名を思ってもみないところで見ることとなる。

Yはみずほ銀行の支店長と共謀し、Yの顧問会社を融資先として、粉飾した決算書類と確定申告書の税務署印を偽造し、約五億円の融資を受けた。さらに別会社の営業実態も偽って五億円、計一〇億円近くを騙し取った。そんな事件だ。二〇一三年、Yは詐欺罪と有印私文書偽造・行使罪で実刑が確定している。

この事件に我が社も関わっているのではないかという疑惑を持たれ、東京地検特捜部がオフィスに乗り込んできた。資料もパソコンも持っていこうとするから止めると、「妨害するのか！」と恫喝《どうかつ》する。

「妨害するつもりはありませんが、業務ができなくなってしまいます」と説明し、データだけ持っていってもらった。

私が検察に「ところで、Yがウチを裏切ったということは、ご存じなのですか？」と聞くと、「知りません」と一言。しかし、我が社がYの犯罪と一切関係ないことは、ほどなくして証明された。

当時はリーマン・ショックのせいで我が社の財務状況も苦しく、「あの六〇億円があれば起死回生を図れたのに」と思うときもあった。しかしなによりも、信頼していたYに裏切られたことがきつかった。Yという人間の裏切りと、そのあとの巨額融資の犯罪は、衝撃だった。

しかし、このとき私は、「裏切られることはあっても、決して人を裏切ってはならない」という思いをあらためて強く持ったのである。

Yは邪心を持ってしまったのであろう。リーダーというものは、いかに私心をコントロールできるかが大事であり、これができない人間は、絶対にリーダーになってはいけない。私はYという、その資質のない人間を、リーダーにしてしまったのだ。

❄なぜ五〇代で魚突きに熱中するのか

これまでの人生で、たびたび極限状態や苦境に遭遇してきた。おそらく普通に社会生活を送っている人には想像もできないような、経験した人にしか分からない恐怖も、私は体験してきた。

私が過去の様々な体験を話すと、「なぜ、それほどの試練を乗り越えられるのですか？」「そんな難問に直面したとき、逃げようとは思わなかったのですか？」などと聞かれる。なぜか、という明確な答えは出せない。ただ、「逃げる」「諦《あきら》める」という選択肢が、私にはない。信じ抜くことだと思う。

私は「自分に対して不信をしない」と決めている。つまり、自分を信じ抜くのである。「もう無理だ」と思うこと、それが「不信」である。必ず突破口があると確信して信じ続けるのだ。

そんな私は、数年前から、趣味で魚突きを始めた。手で持つ銛《もり》で魚を狙う手法で、スピアフィッシングという。

銛一本を持ち、海で素潜りをして魚を狙う。非常に原始的だが、魚と一対一で闘うという感覚が、私には合っているようだ。

初めは素潜りをしても、三メートル潜るのがやっとだった。が、潜水中に水圧調整のために鼻から耳に空気を送る「耳抜き」を覚え、五メートルは潜れるようになった。ところが透明度が高いと、さらに深く、一〇メートルくらいのところにロウニンアジがいるのが見えるのだ。そこまで行けるかと思ったが、どうしても届かない。私は潜りのスキルを高めなくてはならないと決意した。

二〇一七年ごろには、西伊豆の海に行った。西伊豆では、漁業調整規則で、水中メガネをかけた状態で魚を突いてはいけないことになっている。しかし水中メガネをかけないと、とてもではないが、海中の獲物を見つけられるものではない。私は魚突きはせず、ひたすら素潜りの練習に徹することにした。

すると、五メートルくらいしか潜れなかったのが一三メートルに、一三メートルまで潜れると、次は一五メートルくらいまで潜れるようになったのである。

訓練を積んだ私が初めてイシダイを突いたのは、佐渡島《さどがしま》だった。まだウェットスーツも着ないで潜っていたころのことだったので、夏ではあったが、二時間も海に潜っていると、体が冷え切った。もう限界かと思ったが、イシダイを絶対に突きたかった。

二時間半が経ったとき、やっと一匹のイシダイに出会った。四〇センチメートルくらいの、さほど大きい獲物ではなかったが、初めてイシダイを突いたのだ。

魚突きは、私に「諦めないことだ」と再認識させてくれる。諦めていれば、あのイシダイとの出会いもなかったともいえる。

子どものころに手伝った父の作業、自衛隊での訓練と任務、そして不動産業界での仕事……それらを経験するうちに、私は自信を付けることができた。そして、五〇代から始めた魚突きもまた、大きな自信を私に授けてくれた。

※日本人が気づき始めた資本主義の限界

そんな私は、どんな極限にあっても、感覚的にいつも心には光がある。克服できるという確信がある。それは、私のずっと先に、遠大なビジョン「共生主義」があるからだ。

自分以外の誰かのために生きる、すなわち、人と人が共に支え合って生きていくことを「共生」という言葉で表現する。

先述の通り、私は子どものころから「なぜ生きるのか」を考え続け、一四歳で「人のために生きる」という道がはっきりと見えた。二〇歳くらいには「共生主義」にたどりついた。その後、数々の社会体験を経て、「共生主義」においては、その考え方やあり方について、明確なビジョンを作り上げた。

「共生主義」は、もちろん、社名「共生バンクグループ」の由来でもある。不動産事業、シニアリビング事業、バイオテクノロジー事業、農業事業など、我が社の幅広い事業の根底にある理念は、常に「共生」だ。隣人と共に生き、共に繁栄を目指す「共生」の価値観が、すべてのビジネスに通底しているのだ。

私は、いま、日本、そして世界は、パラダイムシフトの真っ只中にあると考えている。物欲中心の時代から脱却し、人の役に立てる幸せ、人と共有する満足感、こうしたことを大事にする時代へと向かう流れが確実にある。

阪神・淡路大震災が、日本における「ボランティア元年」だとはよくいわれることだが、東日本大震災、そして多くの自然災害のたびに、日本人が「助け合う大切さ」「人の役に立つ喜び」を実感したという背景もあるだろう。

さらに人々は、資本主義の限界、そして拡大再生産の虚しさを、本能的に感じているのではないかと思う。

「共生主義」では、奪い合いや取り合いではなく、全員が幸せになる方向を目指していく。それが根本的な考え方である。

地球資源は固有の誰かのものではなく、みんなもの。仮に枯渇《こかつ》するようなものがあれば、技術革新によって代わるものを生み出していけばいい。そうした考え方でもある。

※国道は国のものではない

また「共生主義」の根本にある大事な概念として、「オーナーシップ（主意識《あるじ》）」がある。第五章で述べた「国主」も、この概念を基本としている。

たとえば、海で漁師が魚を獲る。その時点では、その魚の所有権は漁師にある。その後、市場や仲卸《なかおろし》、そしてスーパーや魚屋さんへと所有権が移り、最終的に私たち消費者が購入して、その人のものになる。では、元を正して「魚は誰のもの？」と考えたことはあるだろうか？

魚はもともと海にいたのであり、魚も一つの地球資源といえないだろうか。たまたまそれを獲った人が最初の所有者であり、売買によって所有者は移っていくが、元を正せば地球の資源。そして、地球の資源は本来、誰のものでもなく、みんなのものであるはずだ。

魚だけでなく、あらゆるものは地球の天然資源をもとにできているのだから、いま、あなたが所有しているのは「たまたま」なのであり、実は、地球上の「みんなのもの」なのである。

これが、地球資源は「みんなのもの」イコール「私のもの」という「オーナーシップ」の考え方だ。

また、たとえば国道。定義としては国道だから、「国のもの」となる。そして「国のもの」ということなら、主権者である私たち国民のものだ。国道のオーナーは私たち一人ひとり。ならば国道にゴミが落ちていたら、どうするだろうか？　オーナーならば、自宅の庭にゴミが落ちていたら掃除するように、きっと拾うだろう。

国土も、地球のすべての資源も、自分がオーナーの一人であると認識し、行動する。これこそが、「共生主義」の大切な要素なのだ。

さらにいえば、地球は七八億人の共有する持ち物なのである。みんなが、地球のオーナーという立場である。どの国も地域も、「自分の家」である地球の一部なのだから、環境破壊や争いはやめる。

「オーナーシップ」は、そうした考え方や行動につながっていく。「共生主義」によって生まれていく世界観である。

❄「共生主義」で幸福度ランキング世界一位の日本に

ところで毎年三月に、国連の関連機関が「世界幸福度報告書」のなかでランキングを発表している。二〇二一年に発表されたこの調査における日本の幸福度は、世界五六位だった。

この低さには驚くばかりだ。二〇二〇年の六二位から上がったとはいえ、二〇一九年は五八位、二〇一八年は五四位……二〇二一年は、二〇一五年の四六位と比べると、一〇位も下がっている。

なぜ日本人は、こんなにも自分たちを「幸せだ」と思えないのだろうか？

もともと、あまり自己主張をせず、謙遜を美徳とし、自己肯定感も低いという日本人の特性も反映されているだろう。しかし私は、やはり「自分が人の役に立つ」「人と喜びを共有する」というような機会が、どんどん減ってきているからではないかと危惧《きぐ》している。

このランキングの一位はフィンランド、二位はデンマーク、三位はスイス。いずれもヨーロッパの国々であり、その背景に「社会保障が充実している」「人々のつながりが深い」などという要因が挙げられる。

つまり、生活の心配がなく、しかも人と人が信頼し合って暮らしていることが、「幸福度」の高さに表れているのだ。

日本もまた、「共生主義」のもと、誰かが誰かのために生き、お互いに支え合っていく、そんなことを誰もが考える世の中に変わっていけるはずだ。私は、日本が、間違いなく「幸福度」の高い国に生まれ変わると信じている。

「共生」という思いには、国主として、オーナー同士のパートナーシップによって、「共に栄える」「共に生きる」「共に価値を上げていく」といった意味が込められている。私はこのとき先頭に立って、大事な日本という国を次世代へとつなげていきたい。そうした大きなミッションを担いたい。だからこそ、これまでどれほどの困難が立ちはだかっても、諦めるわけにはいかなかったのだ。

「いま、ここで諦めてしまっては、ミッションを実現できない」と思う。そして、そのたびに「共生」という根本に立ち返ってきた。

そういう意味では、「なぜ、それほどの困難を乗り越えられたのですか?」という問いに対しては、明確に答えることができる。私には、必ず「共生社会」を実現させるという、強い動機があるからなのだ。

だから、裏切られても、濡《ぬ》れ衣《ぎぬ》を着せられても、国家権力を敵に回しても、絶対に逃げるわけにはいかなかった。逃げればその時点で、「共生社会」を実現できなくなってしまうからだ——。

困難があれば、いつもその動機に立ち返る。そして、いまの私がいるのである。

エピローグ——日本人の個人資産を四〇倍にするのは夢ではない

❄公権力の後ろに見える巨大な力

最後に本書の内容を簡単に振り返りながら、私がなぜ本書を世に出そうと考えたのか、その理由について記しておきたい。

理由としては、大きく分けて二つある。

一つ目は、私と我が社の信用を取り戻したかったからである。

第一章で記したように、我が社は、いわれなき嫌疑によって、国交省、金融庁、東京都、大阪府から立ち入り検査を受け、そして業務停止処分を受けた。その根拠となるのは、我が社のミスというよりも、法律上に規定がなかった会計処理の解釈の違いであり、明らかに「冤罪《えんざい》」だったと確信している。

その処分とは、東京は一ヵ月の業務停止処分、大阪は二度の二ヵ月の業務停止処分。営業許可取消を前提とした、たいへん厳しいものだった。

我が社が受けた「立ち入り検査」は、検査というよりも、大がかりな犯罪を前提としたような、明らかな「捜査」だった。また、検察が動いていることも知り、背後に大きな力を感じた。

しかも、その攻撃は一度ならず、二度、三度と、私たちを追い詰めたのである。我が社に事業をやめさせたい、潰したいという狙いが、はっきりと見えた。

私たちは、大手デベロッパーには見られないほどの血のにじむような企業努力を行い、資産価値を上げ、お客様への高配当を実現してきた。そうした努力を見ず、「何か悪いことをしているに違いない」という先入観だけで、悪徳業者と決めてかかる。非常に悔しかったし、その先入観だらけの悪意が残念だった。

しかし、何も法を犯していない我が社は、業務停止処分を受けたあと、そのダメージを克服し、現在も正々堂々と事業を続けている。

ただし、やはり行政処分によって一度流れてしまった風評は、なかなか消えるものではない。デジタルタトゥーのデジタルタトゥーたる所以《ゆえん》である。いまでもマイナスの影響があると、ひしひしと感じている。

しかも、あるメディアには、なぜか定期的に悪意に満ちた我が社の記事が掲載される。根拠のない記事なのだが、一般の方が目にすれば信じてしまうだろうし、またも風評被害に結び付く。

※日本全体が豊かさを共有する事業とは

私たちが行っている、不動産特定共同事業法に基づく「みんなで大家さん」事業は、多くの方々から出資を募り、不動産に投資し、その資産価値を上げて配当するという事業である。

マンションや一戸建てを販売する一般的な不動産業なら、良い物件を造り上げれば売れるだろう。しかし、「みんなで大家さん」事業は、投資を募る事業であり、「信用商売」なのである。

しかも、銀行の利率が一%もない時代に、五~七%程度という高配当を謳《うた》うだけに、まずは私たちへの「信用」がなくてはならない。

私は、出資者の方々が、いや、日本全体が豊かさを共有し、幸せになれるような事業を実現してきた。そうした日本という国を心から愛する思いを、このような形で踏みにじられたことが、非常に悔しかった。

ただ、このネット時代に、世に流れる風評に反論したところで、イタチごっこである。その後は反論せず、粛々と営業してきた。

ただし、私たちが行っている事業と、その根本にある考え方を、分かりやすくお伝えできるような本を出そうということになって実現したのが本書である。

「みんなで大家さん」事業とは、どのような事業なのか?

現在進んでいる「ゲートウェイ成田」プロジェクトとは何なのか? それが完成した暁には、どんな経済効果があるのか?

また、日本を幸せにする「都市国家」計画とは何なのか?

そして、その理念となっている「共生主義」とは……ありのままに知ってもらおうと考えたのである。

❊借金を押し付けられても部下に裏切られても

本書では、私という個人の来し方についても書かせていただいた。私がどんな家庭に生まれ、どんな子ども時代を送り、どんなことを考え、どんな仕事をしてきたのか……そして、なぜ現在のような事業をすることになったのか。また、なぜ「共生主義」という理念に至ったのか。これらを、ありのままに書かせていただいた。

私という人間を知っていただければ、もうそれだけで幸いである。

駆け出しの時代には、まだ世の中を知らない若さにまかせて、ヤンチャな仕事もだいぶした。しかし、これだけは声を大にしていっておきたい。私は、どんなときでも、「売り手」「買い手」そして「社会」にとって「三方良し」の仕事しか手掛けてこなかった。堂々と、誠心誠意、お客様のために事業をしてきた、という自信がある。

借金返済を手伝っていた当の本人に逃げられて三億円の借金を被り、信頼していた部下に裏切られて六〇億円の資産をふいにするという苦境もあった。しかし、信じて事業を行えば、必ず道は拓けるという光を見つけた。

そして国家権力に睨《にら》まれるという苦境においても、私は諦めず、絶対に逃げなかった。なぜ逃げないのか？　もう一度書きたい。そこに、人々が共に助け合い、喜びを分かち合う「共生主義」があるからだ。「共生主義」に基づいた国ができ上がれば、国家権力も変質し、みんなが幸せになれる国を志向するはずだ。私はなんとしても、そんな幸福の国を実現したいのである。

なお、この「共生主義」については、また新たに、この理念に絞った本を出版する予定である。

※国民がみな豊かになることは十分可能だという真実

私がこの本を出版しようと思った二つ目の理由。それは、「国民がみな豊かになり、幸せになることは十分可能だ」という真実を伝えたかったからだ。

日本はいま、少子化や高齢化が進み、人口が急激に減っていく「人口爆縮時代」に入っている。高齢者が増加し、国の医療費や社会保障費はますます増えていくのに、それを支える労働人口は激減していく。当然ながら、財政的にもますます厳しくなることが予想される。

国の財政危機と共に、国民の経済事情も非常に厳しい。「格差社会」「ワーキングプア」「老後破産」「貯蓄ゼロ世帯」といったワードを、メディアで聞かない日はないぐらいだ。

さらに、新型コロナウイルス感染症が世界を襲った——。

二〇一九年末、中国の武漢《ぶかん》で発生した新型コロナウイルス感染症は、世界的なパンデミックを引き起こした。世界の主要都市はロックダウン（都市封鎖）され、世界の感染者数は、一億五七〇〇万人、死者は三二〇万人を超えた（二〇二一年五月現在）。

もちろん人命より重いものはないが、同時に、経済的なダメージは非常に大きい。

日本の二〇二〇年の国内総生産（ＧＤＰ）は、物価変動の影響を除いた実質ＧＤＰで前年比四・八％減となった。統計がある一九五五年以降では、リーマン・ショックの影響があった二〇〇九年（五・七％減）に次いで、二番目の落ち込み幅だ。

特に旅行会社やホテルなど観光業、航空業、鉄道業、そして飲食業などは大きな打撃を受けた。家計への打撃も当然大きく、企業や個人からの税収も激減した。そのうえ、給付金や支援金などにより、国の財政はさらに圧迫されることが予想される。

企業の業績が下がれば、当然、解雇される従業員も増える。契約社員やアルバイトが解雇され、生活が困窮する問題も深刻だ。また、自殺率が増加しているという現実、特に女性の自殺が増えているというデータには胸が痛む。

こうした経済的な問題はもちろん深刻なのだが、私は先述した日本人の「幸福度」が低いことに対しても、たいへん危惧を覚えている。問題はいろいろあるとはいえ、日本は世界的に見れば十分に豊かで暮らしやすい国である。いったい、なぜ日本人はそんなにも幸せを感じられなくなってしまったのか。

読者の方々も、こうしたマイナス要素は、うんざりするほど目にしていると思う。ここであらためてあげつらってしまったことを、お許しいただきたい。

ただ私は、そうしたマイナス要素をも踏まえ、日本の問題をすべて解決する方法を、この本で提示したつもりだ。

日本には、素晴らしい宝物がある。それは、資産、技術、そして勤勉で実直な素晴らしい国民性である。

日本人全体の金融資産、特に国民の現金・預金の額は約一〇〇〇兆円。この資産をただ眠らせておくのではなく、その約五％でいい、活用してはどうだろうかという提案をした。

また、私はこれまで様々な情報を得て、日本全国に飛び、各地に眠っている素晴らしい技術をこの目で見て確かめてきた。それらは環境問題やエネルギー問題、加えて食糧問題を解決する、ものすごいポテンシャルを秘めた最先端技術である。

そして国民性については、みなさん自身が、よく分かっているだろう。

※すべての日本人の資産が四〇倍にも

私は三〇年以上にわたり、不動産を購入して付加価値を付け、資産価値を高めて売却するという事業を行ってきた。対象はマンションやビルであったり、ホテルであったり、テーマパークであったが、いま私は「ゲートウェイ成田」という「街」を造ろうとしている。

成田国際空港に隣接するという最高の立地に、日本中の素晴らしい特産品、技術、エンターテインメント、文化が集まる「街」を造るのだ。

その「ゲートウェイ成田」そのものの資産価値は、すでに二兆円超という評価を受けている。それをさらに高めるようにプロジェクトに磨きをかけている。

そして「ゲートウェイ成田」という「街」を造ったのちには「都市国家」を造りたい。その投資額は五〇兆円程度を想定している。インフラを整備し、最先端の技術によって、エネルギーやゴミの問題を解決し、環境に負荷をかけない、まったく新しい「国」を誕生させるのだ。

産業を興し、人々が暮らす、新たなその「国」の資産価値は、「ゲートウェイ成田」と同様に高まったと仮定して、五〇〇〇兆円、堅く見ても三〇〇〇兆円となる。国債償還用に、そのなかの約一〇〇〇兆円が日本にもたらされれば、日本の後ろ向き志向の問題は、一気に解決するだろう。

その「都市国家」の理念となるのも、やはり「共生主義」だ。人々が「オーナーシップ(主意識)」を持って、すべてのことを自分事として考え、政治や経済を動かしていくのである。

二〇二四年に完成する「ゲートウェイ成田」プロジェクトで外需を獲得し、新たな「都市国家」を造り、その資産価値を高め、巨額なマネーを日本に環流させる。こうして日本経済が活性化すれば、みなさんの個人資産もまた、一〇倍、二〇倍、いや四〇倍になることも夢ではない。

いま自分が持っている資産が四〇倍になり、それを自由に使えるとしたら、みなさんは何をしたいだろうか？　きっと、一気に夢が膨らむだろう。資産価値を高めるという発想で運用をすれば、それは十分可能なのである。

❄地方の自治体と協働し「ゲートウェイ成田」を日本中に

私は今後も、たくさんの心躍る事業を考えている。たとえば、「日本の地方に街を造る」事業だ。

二〇一九年末からのコロナ禍は、もちろん多くの犠牲者を出した悲劇的な災難だが、一方、困難というものは、人間にエネルギーをもたらし、イノベーションを起こさせる。その一つとして、日本のデジタル化が大きく進んだことがあるのではないだろうか。

リモートミーティングやリモートワークも、すっかり日本の企業に定着した。それに伴い、快適な環境や自然を求め、郊外や地方に移住する人たちが急増している。大企業が都心のオフィスをなくし、地方に本社機能を移すという例も出てきている。

そんな日本は、もともと極端な「東京一極集中」の国であった。総人口に占める主要都市圏の人口割合を見ても、二〇一七年に東京圏は約二九％を占めており、ニューヨーク圏の約七％、ロンドン圏の約一三％と比べても、世界でも類を見ない一極集中度なのである。この日本の状態は、経済的には、決して有利にはなり得ない。

その東京圏の状況とは逆に、地方の限界集落や限界自治体の問題も深刻であり、日本全体の活性化という面で、大きなネックとなっている。政府もこの一極集中への問題意識を強く持っており、「地方創生」は大きなテーマとなっている。

私は「ゲートウェイ成田」をモデルとして、地方に多くの「街」を造るプロジェクトは、十分に可能だと思っている。

たとえば過疎化の町の活性化例として、メディアにもたびたび登場するのが徳島県の神山町《かみやまちょう》だ。山々に囲まれたこののどかな町は、一九五五年に二万人強だった人口が、二〇一五年には五七〇〇人にまで落ち込んでしまうほどの、典型的な「限界集落」だった。

しかし、いまでは町の全域に光ファイバー網が整備され、二〇一〇年以降、IT関連企業などのサテライトオフィスが、次々と二〇社ほども開設されたという。

なぜ、このような現象が起きたのか？　神山町はもともと、町の発展の形として、アートを軸とした将来像を描いていた。そして、国内外のアーティストを招き、アートフェスティバルを企画したり、町民と共に作品作りを行うなどの活動をしてきた。するとこれが奏功し、神山町は外国人アーティストを中心に、知られる存在になった。

その結果、国際交流が進み、町の魅力も手伝ってか、移住希望者が増加していく。そうして二〇一〇年に東京のＩＴ企業がサテライトオフィスを開設して以降、いくつかの企業が続いたのだという。

神山町の例は、シンガポールや深圳などのように、強いビジョンやリーダーシップを持って街づくりを推し進めたというタイプではない。しかし、魅力あるアートの街づくりを行った結果、自然に人や企業が集まったという好例である。

このような街を日本各地に造ることができれば、その周辺もまた活気づき、人、モノ、お金が集まる。ひいては東京一極集中も解消され、地方に人やモノが分散し、結果として日本全体も活気づくだろう。

まず地方の自治体と協働し、「ゲートウェイ成田」のような街を造る。インターネット環境はもちろん、交通、住宅、公園を整備し、魅力的な施設を建てる。こうして付加価値を付け、全国、いや世界から移住者を募集するのだ。

この街づくりに出資する人は、資産価値が上がると配当を受けられるが、その配当は、「ふるさと納税」のような仕組みで特産品にしても楽しいと考えている。さらに、地元の人々との交流や、その街ならではの行事に参加できるなど、「心」の配当もいただける。そこに、「共生」が生まれる。

二〇二〇年の東京からの転出者数は四〇万一八〇五人。統計上で比較可能な二〇一四年以降では、最大人数になった。コロナ禍によって「都会離れ」が進みつつあり、「アフター・コロナ」でも、この流れは止まらないだろう。都会から地方へと、人の動きを推し進めるには、非常に良いタイミングだと思っている。

❄フローティングハウスで「日本」を楽しみ資産を増やす

そして最新のプロジェクトを紹介させてもらおう。三重県志摩市、英虞《あご》湾に臨む「志摩《しま》和具《わぐ》マリーナ」をベース基地にして、「フローティングハウス」事業を展開するプロジェクトが進行中だ。

フローティングハウスとは、海上コテージのようなイメージで、アメリカのシアトルやカナダのバンクーバー、そしてオランダやベルギーなどでよく見られる。

トム・ハンクスとメグ・ライアン主演のラブストーリー映画『めぐり逢えたら』で、主人公トム・ハンクスが住んでいた家といえば、ピンと来る人も多いのではないだろうか。トム・ハンクスは、シアトルのフローティングハウスに住んでいるという設定だった。

もともとは住宅不足のため船に住んだのが始まりとされるが、いまとなっては優雅な住宅が多く、フローティングハウスは人々の憧《あこがれ》れの的となっている。

波静かな英虞湾に臨む志摩和具マリーナ

私は、海洋国・日本でも、このフローティングハウスの人気が出るのではないかと考えた。そこで、志摩市の「志摩和具マリーナ」にフローティングハウスの工場を建設し、分譲とリースの両面で事業を展開する予定だ。もちろんフローティングハウスは、投資先としても有望だ。

住み心地はよいし、接岸地から接岸地

日本を楽しみながら資産を増やす時代に

へと、家ごと移動できる。その接岸地には、電気や水道の設備も用意されている。

私たちは、せっかく海に囲まれた国に暮らしているのだ。こんな夢のある「家」はいかがだろう。

また、シニアリビング事業についても、「人生一〇〇年時代」といわれる今後に向けて、さらに夢のある住まいを考えていきたい。

最後に、もう一度、私たちの仕事について記させていただきたい。

私たちは、不動産の証券化、不動産特定共同事業法に基づく「みんなで大家さん」事業をメインに力を尽くしてきた。その大きな理由は、一般の方々が少額から投資できるからである。

それ以前に私が行っていた約二〇億円の資産を持つ方々の資産運用は、いってみれば

「増えて当たり前」だった。これももちろん大事なのだが、それだけではみんなが共に豊かになることはできないのである。

私たちは、出資を募ったからには、全身全霊を傾けて、ノウハウのすべてを投じて、その資産を増やす。そして、みなさんが豊かになれるように力を尽くす。それが、私が理想とする理念、すなわち「共生」であるからだ。

「ゲートウェイ成田」やフローティングハウス、地方創生など、夢のあるプロジェクトを、投資先の一つとして考えてみてはいかがだろうか。「日本」を楽しみながら資産を増やせる時代が来たのである。

二〇二一年六月

共生バンクグループ会長・柳瀬《やなせ》公孝《まさたか》

著者　柳瀬公孝（やなせ・まさたか）
1966年、兵庫県に生まれる。共生バンクグループ会長。自衛隊を経て、1992年から資産家向け財産コンサルティングを始動。その後、建設・不動産会社を設立し、定期借地権付き分譲マンション事業などを行う。1997年、都市綜合計画研究所（現・共生バンク）を設立し、不動産開発や不動産証券化などの事業を展開。現在は、テレビCMが大好評の不動産ファンド事業「みんなで大家さん」をビジネスの中心に据え、グループ企業はバイオテクノロジー、テーマパーク、ホテルなどの分野で20社を超える（総資産額700億円超）。2024年には、成田国際空港の隣接地に、敷地面積45万5000平方メートル（東京ドーム10個分）、総工費2500億円、資産評価額2兆円の複合型商業施設を完成させる。
人や地球のために生きる「共生（ともいき）」の思想に基づいた企業活動を実践。経営の傍ら、2009年には「志士経営者倶楽部」を設立して勉強会を主宰、2011年には64名の国会議員から成る「国家経営志士議員連盟」を設立して国を経営する思想を広める。

成田《なりた》空港《くうこう》の隣《となり》に世界一《せかいいち》の街《まち》を造《つく》る男《おとこ》

2021年6月28日　第1刷発行

著　者　柳瀬公孝《やなせまさたか》
装　幀　川島 進
カバー写真　小川 光
発行人　間渕 隆
発行所　株式会社白秋社
〒102-0072
東京都千代田区飯田橋4-4-8 朝日ビル5階
電話　03-5357-1701
発売元　株式会社星雲社（共同出版社・流通責任出版社）
〒112-0005
東京都文京区水道1-3-30
電話　03-3868-3275／FAX　03-3868-6588
印刷・製本　モリモト印刷株式会社
校正者　得丸知子

ISBN 978-4-434-28827-2